Scrittori italiani e stranieri

Mauro Corona

COME SASSO NELLA CORRENTE

Romanzo

MONDADORI

Dello stesso autore

Nella collezione Scrittori italiani e stranieri
La fine del mondo storto
La ballata della donna ertana

Nella collezione Oscar
Aspro e dolce
Nel legno e nella pietra
L'ombra del bastone
Vajont: quelli del dopo
I fantasmi di pietra
Cani, camosci, cuculi (e un corvo)
Le voci del bosco
Storia di Neve

Nella collezione NumeriPrimi°
Il canto delle manére

Nella collezione Varia
Storie del bosco antico
(disponibile anche nella collana Audiobook, con cd audio)

Nella collezione I Grandi
Torneranno le quattro stagioni

Come sasso nella corrente
di Mauro Corona
Collezione Scrittori italiani e stranieri

ISBN 978-88-04-61131-8

Published by arrangement with Susanna Zevi Agenzia Letteraria

© 2011 Arnoldo Mondadori Editore S.p.A., Milano
I edizione novembre 2011

Come sasso nella corrente

Agli infelici, quindi a tutta l'umanità.

È ancora una bella donna anche se appoggia il corpo al bastone, anche se gli anni le cadono sulle spalle col peso di stagioni lontane. Quelle future non le teme, nemmeno le importa conoscerle. Le attende adagio, guardando ciò che resta della vita. Le nevicate sui capelli non domano lo sguardo, che ancora interroga e fugge. È un po' come tornare a quegli anni. In che modo? Con la memoria. Cammina a ritroso nei ricordi. I ricordi le tengono compagnia come un vecchio cane fedele.

Da tanto tempo lei non sorride. Nemmeno piange, lo ha già fatto a lungo. Ora ascolta. Ascolta il trascorrere delle stagioni e quel bambino che le salta attorno chiamandola "nonna". Il bambino fa domande. I bambini fanno domande o non sono bambini. Lei non risponde. Muove cenni col capo, assente, nega, indica. Sempre in silenzio. Non ha più voglia di parlare. Le assenze rendono muti quando si è già detto tutto. Alla fine il bambino smette. Allora lo prende in braccio, fissandolo come se le ricordasse qualcuno. Sì, le ricorda qualcuno. Ma non solo il piccolo. Tutto le ricorda qualcuno. Un albero, una roccia, un torrente, una montagna. Tutto le ricorda lui perché lui era quel tutto. Era albero, roccia, torrente, montagna, mani, attrezzi, quaderni, libri, corde, vino, luci, ombre. Rari i sorrisi.

Quando passeggiavano assieme lei era giovane, lui no, per questo non sorrideva. Forse giovane non lo era mai stato, ma gli resisteva l'entusiasmo come un sasso nella corrente. Quello era rimasto intatto dai tempi dell'infanzia, quando la sorte si accaniva a portarglielo via. Nessuno era riuscito a sottrargli l'entusiasmo, nemmeno i colpi laterali della vita. Il suo ragazzo anziano, il suo vecchio ragazzo era rimasto un uomo pieno di entusiasmo. Come il bambino che tiene in braccio, quel nipotino che fa domande e la chiama "nonna".

La casa è sempre in penombra. La cucina è fasciata di penombra come a non voler disturbare i ricordi, come se troppa luce ferisse i ricordi. O li rendesse vivi, acuminati al punto da ferire a loro volta. I ricordi feriscono sempre, premono, urtano, gemono. Tenerli avvolti d'ombra aiuta a reggerne l'urto.

Era andato a nascondersi, come quando non se ne può più e si corre via finalmente liberi da tutto. Si può fuggire senza rancore quando dolore, tristezza, vecchiaia, debolezza rendono i giorni insostenibili. Chi ha amato veramente, e ha vissuto senza false balle consolatorie, alla fine davvero non ne può più. Lui era uno di questi: aveva vissuto di tutto e tutto intensamente. Poi era andato via, lasciandola sola.

In verità non si vedevano molto. Ma quando capitava era un completarsi. Uno depositava nel cavo dell'altra un po' d'amore, come una farfalla che si poggia nella conca della mano. L'altra colmava i vuoti del primo, come la fontana rasa il mastello e lo fa tracimare. I loro incontri erano materia liquida: entrava dappertutto, li riempiva, li saziava, s'abbeveravano l'un l'altra, si dissetavano coi musi vicini, come capretti al ruscello.

Erano buone ore quando stavano assieme. Buone per ciò che restava delle loro anime. Le loro anime non erano intere. In passato le avevano divise con qualcuno che era stato allontanato. Chi viene allontanato non se ne va a mani vuote, ruba sempre un po' d'anima all'altro. Non si esce ad anima integra da una separazione o da spartizioni di beni comuni. Il passato condiviso non si cancella, resta lì col muso duro e il pugno chiuso, a rammentarci che è esistito. Dentro al pugno un po' d'anima dell'altro. E viceversa.

Siamo figli di papà e mamma ma pure di quello che ci è accaduto. E del luogo dove siamo cresciuti. Terre aspre creano uomini aspri, dicono "ti amo" col contagocce. Se lo dicono è un miracolo. Di solito non lo dicono. L'unica parola dolce che conoscono è "mamma". La pronunciano fino alla fine, invocano la mamma col piede nella fossa. Lui no. A lui non era rimasta nemmeno quella. "Mamma" non l'aveva mai pronunciata perché non l'aveva avuta. Fu orfano con genitori viventi. Un vivere pieno d'inciampi lo aveva orbato dei genitori. Ma il suo cuore ancora percepiva negli altri l'odore di buono. Se c'era lo fiutava. Il cuore annusa, ha narici fini, come il cane.

Anche lei aveva buon olfatto. Si erano annusati senza mordersi, allontanandosi a braccetto, incuranti di coloro che vivevano nelle terre estreme e tiravano sputi e insulti e avevano il cuore indurito dalla vita. A volte si diventa cattivi per salvamento, stare a galla, sopravvivere, ma non è necessario diventare invidiosi. Meglio feroci che invidiosi. L'invidia, forma subdola e vile di cattiveria, non tollera chi si vuol bene. Loro dovevano nascondersi come caprioli alla macchia. Forse ci si piega all'invidia perché non amati. Le ferite dei non amati, cicatrizzando, danno origine all'invidia. Con la quale bisogna convivere. Sono tanti nel mondo gli invidiosi. Tanti quanti i non amati, poveri diavoli che vanno aiutati, tollerati, perdonati.

È una stanza immersa nella penombra. La donna vive in un liquido amniotico di penombra, discreta, silenziosa, sfuggente come lo fu da giovane. Non ama né chiasso né clamori, tantomeno apparire. È giusta e schiva. Ma quando da ragazza attraversava la città, col passo lungo e il portamento altero, e quegli occhi color nocciola che leggevano l'anima, appariva suo malgrado. E allora sì che la guardavi! Ti veniva voglia di afferrarla per un polso e trascinartela a casa. Anche solo per parlarle, guardarle il viso, farla sedere sulle tue ginocchia. Che begli occhi aveva e che begli anni furono quelli! Tormentati, crudeli, dolci, sereni, lucenti, misteriosi. Anni e occhi intensi, a volte corredati di alti e bassi.

Era la lontananza a renderli nervosi, non accettavano di separarsi, vedersi ogni tanto. I doveri, quelle pastoie che non lasciano scampo e impediscono scelte coraggiose, avrebbero voluto scrollarseli di dosso come il cane si scrolla l'acqua dal pelo. Ma alla fine vinceva il buon senso, il rispetto, l'affetto per gli altri, beni non declinabili: figli, parenti, nipoti... Anche se, dentro i corpi, le loro anime bruciavano in un impulso di fuoco mai provato prima. Quelle anime volevano contatto. Almeno per qualche ora, almeno per un poco.

La stanza nella penombra è cucina, salotto e luogo di riposo. Qua e là, un po' dappertutto, occhi immobili spiano. Occhi di oggetti, di figure. Guardiani della penombra sono statue di legno, sculture di ogni forma, soggetto e dimensione.

Il bambino chiede il permesso, vuole toccarle, giocare con quei balocchi sconosciuti, giocattoli strani. La donna dice no, guai, quelle statue non si devono toccare, nemmeno sfiorare. Non sono oggetti o giocattoli, sono mani, le sue mani, sono occhi, i suoi occhi, sono anima, la sua anima. Quelle sculture sono lui, e nessuno può toccarle.

Lei conosce la terra di quell'uomo, una terra estrema, martoriata da destini avversi e politici infami. Terra di fughe, delitti, emigrazioni e ritorni. Quando era giovane, aveva sentito dire che alcuni erano tornati dopo molti anni e avevano trovato le loro case distrutte dall'onda creata dagli uomini e dalla forza del tempo.

E allora, senza guardare indietro, questi uomini avevano voltato le spalle alla tragedia, dimenticando passato e memoria, e se ne erano andati per sempre. Ma alcuni erano restati. Senza le persone i luoghi diventano tristi, lo sapevano. Non possono sorridere o cantare, i luoghi abbandonati. Dove per secoli ha pulsato il cuore degli abitanti, servono ancora voci.

Molto prima di conoscerlo, lei aveva letto queste storie su dei libri. Sapeva che lassù mulini e segherie non esistevano più ma il vento era lo stesso. E così pure i torrenti che li facevano muovere assieme al vento. Un giorno era andata a vedere, voleva rendersi conto di quel che era rimasto. Delle antiche storie non c'era più nulla. I luoghi erano scomparsi, spazzati via dalla forza dell'onda e dall'incuria umana. La

11

memoria distrutta. Quella poca sopravvissuta, abbandonata, segregata nelle madie dell'oblio.

Lui le aveva detto che era inutile visitare i luoghi scordati, perduti per sempre. Gli anziani erano scomparsi, lì non c'era più niente da vedere se non le croci dei morti. Lei insisteva, diceva che si poteva ricominciare, non tutto era perduto, bastava qualche idea, darsi da fare. L'uomo dondolava la testa, rispondeva che gli inverni erano lunghi e li reggeva sempre meno. Diceva di camminare ormai verso il tramonto e di farlo senza paura, ma con molta tristezza. E le raccontava un po' della sua vita.

Sopra l'acqua dei torrenti erano corsi veloci i fiori dell'infanzia. Era stato lo stesso per l'adolescenza. Alla fine, le foglie giacevano secche ai piedi dei faggi secolari. I mesi del gelo si palesavano presto, avanzando antichi e lenti come candidi buoi al giogo. La neve seguitava a cadere tranquilla e seppelliva nel tempo gli anni e la gioventù. Aveva ceduto? Non ancora. Ma sentiva che mancava poco. Sotto la neve dormiva la memoria. La memoria perduta per sempre. Ma non era morta, la memoria resisteva. Congelata sotto un manto di silenzio, era pronta a rifiorire in qualche remota primavera. O in qualche libro.

Un libro non serve a nulla se non salva la memoria, se non la toglie dalle soffitte e le scrolla via la polvere del tempo. "La musica è tra le note" diceva Mozart. Vale per i libri, i comportamenti, tutto. La verità è tra le righe, il messaggio occhieggia tra esse senza rumore, come il passo lento delle meridiane.

Allora si era messo a cercare la memoria, a tirarla per la coda fuori dalle tane. Erano molte le tane dove si nascondeva. A volte, cercando di farla uscire, infilava la mano nel buco, ricevendo un morso. La memoria spesso addenta, ferisce, fa male. Non sempre sta nascosta col muso dentro e la coda fuori. A volte nella tana si gira, presenta il ghigno all'imbocco, pronta coi canini affilati.

C'era dunque una madre, ancor giovane, stanca di bastonate e calci e pugni, che aveva deciso di farla finita. Non da sola, voleva portare con sé i figli. Tre. Il più grande aveva sei anni, il più piccolo sei mesi. In mezzo, uno di cinque. Sarebbe stata una cosa molto semplice: un salto in una pozza d'acqua fonda e amen. Finita.

Forse sarebbe stato meglio. Ma la trovarono. Esplorarono la valle con fanali a carburo verso l'alba, quando la notte cede il posto al chiaro e al canto degli uccelli. La videro in cima alla rupe, i figli stretti al corpo, come pulcini sotto la chioccia. Non aveva avuto la forza necessaria per quel salto. Più che altro per spingere loro. Loro non capivano perché stavano lì, in cima a una roccia, il burrone sotto con le fauci aperte.

Non aveva mai temuto l'acqua, lui, nemmeno quella notte, quando stava appollaiato sulla rupe assieme alla mamma e ai fratelli, in attesa di esser spedito nel buio della pozza. Ricordava il cammino per avvicinarsi al luogo. Nella notte d'estate il torrente sussurrava "fermati".

La donna non si fermava, aveva deciso di andare fino in fondo. Voleva farla finita. Ogni tanto apparivano le grandi anse pietrose dove l'acqua allargandosi diventava quieta. Di là non si passava, occorreva spostarsi. Era come se il torrente si opponesse al tragico progetto, creasse ostacoli per fermare il passo notturno ai condannati. Ma lei era camoscia, cerva, capriola, traghettava i figli di qua e di là, e con un salto tornava in linea. Lo scopo: montare sulla rupe. E poi la lunga attesa, ore cementate dalla notte, tempo che non passava.

La madre piangeva, il fiato umido della valle veniva a portare brividi e domande. Che facevano lì? I bimbi non lo sapevano. Lo seppe il maggiore, molti anni dopo, dal racconto reticente e pudico di uno dei soccorritori, uno di quelli che avanzavano all'alba, al lume delle lampade a carburo. Fu sempre amico di quest'uomo, perseguitato dalla vita, percosso dal destino. Nel tempo a venire, diventarono compagni di lavoro e d'osteria.

Ricordava quella notte. Tutto quel che aveva fatto in seguito fu imperniato su quella notte. Tutta la sua esistenza fu il prodotto di quella notte. Vino, donne, cacce di frodo, scalate, risse furono azioni figlie di quella notte. E di altre notti e giorni segnati da sottrazioni e assenze.

Le assenze lasciano segni, solchi che nessuna aggiunta può colmare. È una questione di riempimenti, si ama per essere amati, si dona per ricevere. Ma quando si perde, si perde. Sottrazioni, e assenze, non lasciano scampo, segnano la vita, tracciano il sentiero, decidono il destino, indicano il futuro. Tra questi orti vuoti e desolati dovrebbe cadere a ogni stagione la neve dell'oblio e seppellire la memoria per sempre.

Invece non è così. La neve cade abbondante, anche a luglio, e si scioglie, e la memoria, come una talpa bagnata, preme il muso sulle zolle del sonno, spunta da terre umide di lacrime e di tempo trascorso. Alla fine i bilanci tendono a guardare lontano, rendono silenziosi, fanno dubitare persino se sia valsa la pena venire al mondo. È un dolore di solitudini, ricordi chiusi nei cassetti, nascosti nelle soffitte del tempo.

Una visita alla vecchia casa, i muri bianchi calcinati dal sole, graffiati dal vento, fasciati dalle nevi. Le tegole col muschio degli anni, barbe verdi che segnano stagioni, infanzie, gioventù. Dalla grondaia intasata di terra spuntano fiori. Tutto porta a cercare. I passi sembrano colpi di maglio sulle scale di legno segnate dalle vene dure del larice. Le assi scricchiolano, tutta la casa scricchiola, freme: è tornato il vecchio bambino, un bambino diventato vecchio. È tornato per una visita.

Il focolare spento da anni sembra addormentato, la cenere dell'ultimo fuoco indurita. Antiche pentole appese ai ganci occhieggiano dai fondi neri di fuliggine. Mucchi di scarpe senza forma spuntano da sotto la panca che circonda il focolare di pietra rossa. Alcune hanno la suola di legno. Un paio, sempre di legno, fanno pensare a un gigante. Sono enormi, senza lacci, come se il padrone li avesse tolti prima della galera eterna della morte.

Nella penombra, la donna carezza con le dita una scultura. La ricorda bene, ricorda bene tutto, è l'unica forza che ha per restare. Gliela donò lui un giorno d'estate, prima di una camminata sui monti. Era uno che andava sui monti, saliva sulle cime per stare in pace, pensare, straviarsi dai ricordi, dimenticare i canti delle falci. Ogni tanto portava anche lei, anche lei aveva un passato da spingere in alto. Lassù diventavano leggeri, lassù tutto diventava leggero e il suo sorriso cantava. Le cime rendevano la vita più lieve, ma poi toccava scendere e in basso tornava il piombo dei giorni.

La donna con la neve sui capelli carezza una piccola maternità di pino cembro. Sono trascorsi tanti anni, la scultura manda un buon odore di resina, emana ancora il profumo del tempo passato. Si era convinta che la resina rimanesse per lei, aggrappata alla figura di quella madre col bambino, a evocare per sempre il profumo di quei giorni lontani, del giorno in cui la ricevette in dono.

Il nipote salta qua e là per la stanza, lei prende la scultura, lo ferma, gli fa sentire l'odore. Senza lasciare che la tocchi. Il bambino la annusa come un gattino. Lei ricorda la vita di quell'uomo. L'uomo le raccontava la sua, mentre vivevano qualche ora sottratta alle distanze, al tempo per gli altri. Camminavano molto, camminavano per nascondersi, evitare gli sguardi, avere libertà. Camminavano fuggendo, affinché nessuno entrasse a curiosare nella loro casa di spazi liberi, cieli sopra la testa, boschi odorosi di terra umida e autunni. Autunni spesso colmi di tristezza.

Ogni scultura una tappa, un pezzo di legno un pezzo di vita buttato alle spalle, lo sguardo avanti a sperare. Attendere ancora momenti buoni, tempo per stare assieme, ore, giorni, mesi. Perché no? Anche per sempre. Ma per sempre non esiste. Esiste il tempo che vivono le anime. Perdere tempo in attese mentre le anime vivendo muoiono, è il vero dolore della vita. Assieme ad altri dolori, certamente. Così fu per loro. Attese colme di distanze. Distanze piene di attese, incontri. Abbracci che dicevano "non ti mollo più". Invece non c'è abbraccio al mondo da cui alla fine non ci si debba sciogliere. Tutto trama per sciogliere gli abbracci, ma se è forte vince solo il tempo che passa. Vince. E uno dei due se ne va per sempre, se lo portano via gli anni, la vecchiaia, la malinconia, la morte. Rimane l'altro, il cui unico scopo è attendere il turno. E intanto ricordare.

Lei ricorda. Nell'attesa ricorda i momenti felici, i giorni buoni, le stagioni passate. Gli occhi negli occhi. Quegli occhi che si amavano, quegli sguardi che non si reggevano per timidezza. Erano timidi, vivevano di lato a se stessi. Un po' si vergognavano, ma erano puliti, onesti, a volte pensavano di avere troppo. Ma quel troppo non bastava, era la loro vita, la loro forza, la loro unione. Finché potevano, l'avrebbero difesa a denti stretti, in silenzio. E fatta durare.

Nelle pause serene raccontava. Aveva cominciato a scolpire da bambino, lo guidava il patriarca, il vecchio maestro alto due metri. Lui seduto fra i trucioli, il gigante in piedi che guardava. Sembrava ancora più imponente. A vederlo dal basso pareva una montagna, la testa era la cima, la barba i boschi, le spalle le pareti. Quel gran vecchio non parlava mai. Forse aveva parlato da giovane, forse aveva parlato troppo. Insegnava a gesti, a mugugni, a spinte di occhi, segni di piede. Era fatto così, era fatto di silenzio.

Il piccolo portava ancora addosso l'odore della madre, come un cucciolo. Anche i fratelli ce l'avevano. Lei se n'era andata. Così se li erano presi i vecchi, i nonni paterni di settantasei anni, e una zia sordomuta, sorella del nonno, di quasi ottanta. Li avevano presi come quando si adotta un capriolo abbandonato dalla madre perché una mano lo ha toccato.

Erano stati invece toccati dal destino, dalla mano pesante di un padre senza scrupoli, violento e rozzo, rissoso e ignorante, buono a nulla e spaccone. La mamma era partita anni prima, senza rumore, senza preavviso, leggera e furtiva come una rondine d'autunno. Lasciò botte e dolori, un paese di silenzi, tre bambini a crescere veloci, a indurire le braccia, piegare la schiena, lavorare. L'odore di lei aleggiava ancora per la casa, i piccoli diventavano tristi, spesso piangevano. Solo più tardi non piansero più. I vecchi li avevano convinti che non serviva. Ed era così, piangere non serviva a nulla.

Venne in aiuto il tempo. Il tempo dei bambini sbiadisce presto i ricordi: volti, figure, fatti se ne vanno veloci. I bambini hanno una forza che li aiuta, una forza mostruosa per resistere al dolore, dimenticarlo, perderlo lungo la strada via via che crescono. Quando saranno grandi, un bel giorno scopriranno di ricordare qualcosa. Qualcosa che li aveva vinti, umiliati, scorticati. Da lì partirà la reazione, la vita sarà impostata su quei cardini, su quei ricordi ruoterà il futuro della loro esistenza. Da adulti si agisce decifrando e leggendo cicatrici. Siamo il prodotto dell'esistenza in fasce, delle mute domande, delle paure, delle ignoranze non controllate. Siamo quello che ci hanno fatto.

I giorni diventavano lunghi, ma i fratelli pian piano dimenticavano l'odore della madre. Nei mesi di neve, quando il gelo cementava il paese nella morsa di ferro, il grande vecchio intagliava oggetti che avrebbe venduto a qualcuno. Il bimbo imparava, aveva mani piccole, l'ascia era una brutta bestia, andava dove voleva, non era facile tenerla in linea. Perciò era bene tutto, purché non andasse sulle dita. Sgorbie, pialle, scalpelli furono il suo pane da piccolo. Gli piaceva vedere il legno trasformarsi, pigliare forma, diventare qualcosa. Era una magia. Un pezzo di acero bianco si piegava, si contorceva, bombava la pancia, si svuotava, diventava mestolo, cucchiaio, ciotola. Perché non farci gli occhi? Il bambino voleva compagnia. Con naso, occhi e bocca, cucchiai e mestoli prendevano vita. Diventavano amici, compagni di viaggio, medicina contro la solitudine, voce che un vecchio alto e silenzioso non aveva. Quel bimbo creava compagni, guardie del corpo, personaggi, montagne di personaggi ammucchiati in un angolo. Sempre con bocche sorridenti. Un taglio girato all'insù, un'incisione a U sulla parte convessa facevano ridere cucchiai e mestoli. Gli occhi due puntini a temperino, il naso un triangolo corto. Bastava poco a far ridere un cucchiaio. Per farlo piangere invertiva la U verso il basso. A volte lo faceva, poi correggeva subito, non sopportava veder piangere i cucchiai, gli ricordavano la tristezza.

Nel focolare ardeva sempre il fuoco. D'estate e d'inverno, in ogni stagione il fuoco teneva i suoi allegri comizi di fiamme, brontolii, scoppi e risate. Il fuoco era l'unico che rideva in quella casa fatta di pietra, legno e anime antiche dove tiravano avanti nell'indigenza i lati opposti della vita: tre bambini e tre vecchi. Gli inverni si gonfiavano di neve, non finivano mai ed era bello non finissero. Ai bambini piaceva il tempo in cui le montagne lucevano bianche e le notti diventavano infinite, ricamate di stelle piccole e puntute, le stelle del sereno dopo le nevicate. Il freddo serrava la gente in casa giorno e notte, e tutti lavoravano un pezzo di legno, anche le donne. Chi non scolpiva faceva gerle, ceste e altri manufatti di vimini. La casa era invasa di attrezzi. Utensili di ogni forma, taglienti come rasoi stavano posati su panche, tavoli, sedie, tovaglie, sempre pronti all'uso. In mezzo a quei mondi operosi era giocoforza, per un bambino, pigliare una sgorbia e provare a far qualcosa. Gli attrezzi affilati lo inquietavano, coltelli e asce gli facevano paura.

Con quelle robe lucenti e acuminate vedeva uccidere il maiale, sgozzare capretti, agnelli, vitelli, polli. Era un paese di artigiani e uccisori, le lame servivano a vivere e far morire. Si adattò presto alle armi bianche, col tempo non ci fece più caso. Fino alla fine dei suoi giorni, le armi da taglio lo affascinarono e lo turbarono allo stesso tempo. Temeva più un coltello che un fucile, la scure più di una pistola, ma per campare fu costretto da subito a prender confidenza col filo inquietante delle lame. Quando fu necessario, a usarle.

Le viscere di camosci e caprioli andavano tolte subito o la carne sapeva di sterco. Fumavano, ancora calde scivolavano sulle mani del bambino riscaldandole. Novembre e dicembre congelavano la terra come pietra ma erano mesi buoni per la caccia. I vecchi bracconieri sparavano, poi toccava ai bambini aprire pance, svuotare budella. E guai bucarle, odoravano male. Lui andava con suo padre a trovare da mangiare, come usava dire a quei tempi. A quei tempi le bestie si ammazzavano per mangiare, non per passatempo. Buoni erano camosci, caprioli, lepri, coturnici, fagiani, rane, chiocciole. Tutto quel che veniva abbattuto o catturato era buono. La fame rende buona ogni cosa. Mangiavano persino volpi, gatti e martore. Imparò a uccidere, scuoiare, sventrare. Togliere vita per avere vita, questa la regola. Imparò, ma non si abituò mai a uccidere. Lo scopo era uno: tenere la vita in moto, usare il corpo a stomaco pieno, spingere avanti i giorni nella speranza che cambiasse qualcosa. Ma niente cambiava, se cambiava era in peggio.

Non ricordava giorni felici, nemmeno uno, rari i momenti di pace. Un bambino dovrebbe poter giocare con l'acqua del ruscello senza paura che qualcuno lo pigli a calci. Ma il gioco non esisteva, né pause, né allegria. Né dolcezza alcuna. Lavorare. Lavorare al posto di chi avrebbe dovuto. Il ruscello era un bel giocattolo. Correva, saltava, rideva con la sua treccia d'argento carezzando e facendo il solletico ai sassi. I sassi ridevano sotto il pelo dell'acqua. Parevano così lontani, così al sicuro! In primavera era pieno di rane che mettevano le uova nelle pozze. Ridevano anche loro: "Cra-cra!". Più in basso l'acqua formava una bolla dove le donne si chinavano a lavare i panni. Usavano sapone fatto in casa. Il ruscello schiumava. Ogni tanto cantavano, ogni tanto baruffavano. Nelle nuvole di cespugli, lungo le gengive fiorite dei bordi, facevano il nido merli, tordi e altri uccelli. Il merlo acquaiolo si tuffava, giocava con l'acqua e nessuno gli diceva niente, né lo prendeva a calci. Forse pescava girini o li spaventava soltanto. Chissà. Pareva molto contento. Il ragazzino lo invidiava. Il merlo acquaiolo poteva giocare col ruscello.

Un bambino ha diritto al gioco, non al lavoro. Inspiegabilmente si erano invertite le parti, lavoro al posto di gioco. Non tanto inspiegabilmente. Ma i bambini hanno fantasia, sono geniali finché non diventano adulti. Si poteva giocare lavorando. O lavorare giocando, che è la stessa cosa, ma suona meglio. Così il bambino inventava gare coi ragazzini-operai. Facevano a chi tagliava un albero più velocemente. O a chi resisteva di più nel far girare la mola a manovella mentre gli adulti, con cinico piacere, premevano le guance della scure sulla ruota. Le braccia indurivano, i muscoli crescevano, muscoli di bambini fuori misura per la loro età. Ogni tanto pensava alla mamma, gli tornava in mente il giorno in cui saltò sul cassone di un camioncino rosso. Un piede sul parafango, una piroetta con la valigia in mano e atterrò tra sacchi e damigiane. In cabina non c'era posto. Ricordava il saluto con la mano mentre il camion spariva dietro la curva trascinando con sé la polvere dell'addio. Partì, la chioccia se ne andò e forse fu meglio così. Fuggendo probabilmente si salvò, la fuga le risparmiò la vita. Forse, chissà.

Avevano visto il sangue assai presto i piccoli. Animali sgozzati, uccisi a fucilate, a colpi di mazza, piccone, decapitati. Non si andava per il sottile, a quei tempi. Del resto, la morte va data subito o c'è rischio di ravvedersi. La morte non chiede raffinatezze, un colpo e via. Dopo si ragiona. Nulla era stato risparmiato ai tre bambini, le scene cruente erano all'ordine del giorno. Avevano quasi fatto l'abitudine ai fiori rossi che sbocciavano dal collo delle bestie sgozzate. Ma al sangue della madre no, a quello non avevano fatto l'abitudine. Quando lo videro la prima volta si spaventarono. Piansero un qualcosa di simile al terrore. Eppure il fiotto che le usciva dalla testa aveva colore rosso come quello delle bestie sgozzate, sventrate, decapitate a colpi d'ascia. Tre volte era finita in coma prima di saltare sul camioncino rosso. Loro, sulla scala di legno, stretti come un pugno chiuso assistevano piangendo.

Gli anni non gli avrebbero mai fatto dimenticare il corpo di sua madre piegato, caduto storto sul pianerottolo e il filo di sangue che le usciva da sotto la testa. Il padre se n'era andato all'osteria, credeva di averla uccisa. Forse scappò per vigliaccheria. Non brilla di coraggio il marito che picchia la moglie e le spacca la testa con un legno. In quella casa era così; l'amore, parola remota, sconosciuta, non aveva mai varcato la soglia. Era rimasta fuori in attesa che qualcuno le aprisse. Ma nessuno apriva e la invitava dentro. E quando spingeva lei, per entrare di forza, i cani dell'ottusità e dell'ignoranza la respingevano a morsi e ringhi.

Si entra nel quaderno della vita in vari modi, il più delle volte con dolcezza. I genitori fanno a gara per donare ai figli una traccia chiara, sicura, leggibile. Soprattutto all'inizio, quando le pagine sono bianche e tutto ha da prender forma e la scrittura della vita è incerta. In quella casa no. Lì era diverso. Si entrava nel libro dell'esistenza con calci, spintoni, botte, fatiche e visioni di morte. Rivoli rossi e corpi piegati in due.

Dài e dài il bambino s'era fatto un'idea tutta sua: la vita era quella infame che vedeva e basta. Da quella non si fuggiva. Allora il bimbo pensò da solo, decise di tirar su la testa, venir fuori da quel pantano, cercare ossigeno più in alto, dove urla e bestemmie e legnate non arrivavano. Se arrivavano, giungevano attutite. Quell'uomo, quel padre ottuso aveva il vizio di picchiare. Picchiava tutti, anche i suoi cani. Infatti quando lo vedevano si mettevano a tremare. Una volta Milòr lo morse. Stufo di pigliar calci gli addentò una mano. "Bravo Milòr!" pensarono i bimbi. Ma l'uomo afferrò la scure e ammazzò il cane con un colpo in testa. Ribellarsi non giovava.

Intanto il grandicello metteva da parte memoria per quando sarebbe stato adulto. I conti dovevano tornare, prima o dopo quei conti andavano fatti. Senza vendette o rancori, ma alcuni chiarimenti occorrevano. Almeno qualche domanda. Chiarimenti il vecchio non volle mai darne. Negli anni a seguire, quando veniva tirato in ballo cambiava discorso. O se ne andava. Se messo alle strette minacciava, tentava di menar le mani. Nemmeno in tarda età aveva perso il vizio di picchiare. Ma ormai era vuoto, senza forze, l'alcol e il vivere rabbioso lo avevano indebolito, spento. Allora pigliava il fucile, un automatico Franchi, lo caricava a pallettoni, cinque colpi, e minacciava di uccidere tutti.

Quando morì lasciò in eredità fucili, una vecchia casa, e un pessimo ricordo di sé. L'automatico toccò al maggiore dei fratelli. Lo scelse lui stesso per vederlo ogni giorno, per non separarsi dai fatti, per aver memoria di quell'uomo. Lo scelse per ricordare quel padre vissuto all'attacco, sempre pronto a colpire. I fucili, strumenti di morte, furono il suo simbolo, la sua forza. Un uomo senza coraggio e forza cerca coraggio e forza nelle armi. E li trova. Sarebbe andato armato anche a messa o al cesso. Povera bestia, che infame esistenza! Morì nel sonno a ottantasei anni. L'automatico sulla spalliera del letto. Il padreterno gli risparmiò dolori e sofferenze e il terrore di una lunga, dolorosa malattia. Forse un po' di spasimi se li sarebbe meritati. Quantomeno per fargli rammentare il dolore elargito gratis agli altri. Soprattutto a moglie e figli. Ma fu graziato. I vili spesso vengono premiati, loro malgrado.

La donna prende in braccio il nipote, gli fa vedere la testa di un cavallo. È la testa di un cavallo cavato dal tronco, ma si capisce che quel cavallo sta correndo. Colui che lo ha scolpito amava correre. Non per competere bensì per seminare il passato, lasciarlo alle spalle, dimenticarlo. Correva per boschi e montagne fin da piccolo. A piedi scalzi sui greti dei torrenti nelle estati brucianti e brevi. Le estati maturavano presto, crescevano veloci e poi cadevano nell'autunno, come frutti maturi. Non si poteva perdere tempo, avere lusso di tempo era proibito. C'era da falciare l'erba, tostarla al sole di luglio ché diventasse fieno. E poi caricarlo sulla testa, legato in fasci e portarlo al fienile. O salire alle malghe a fare il guardiano di vacche per tre mesi, senza una lira di paga, soltanto vitto e alloggio. Alla fine, da dietro i larici incendiati di giallo, sbucava il volto arrugginito dell'autunno col suo ghigno dispettoso e la gerla piena di faccende. Mattina scuola, pomeriggi nei boschi a tagliare legna. E poi a correre, se avanzava tempo. Correre in ogni stagione, sulle cime dei monti, per vedere se dall'altra parte c'era un mondo migliore, un'altra vita, meno fatiche, meno paure, meno calci in culo. Di là c'erano altre montagne, altri paesi, altra gente. Di sicuro altri bambini poveri che pativano miseria e fame. E qualche bambino ricco che pativa per motivi diversi.

Quel tempo era così e per lui non cambiò mai. Nemmeno quando l'esistenza gli aprì un attimo la porta ed entrò un raggio di sole riuscì a sorridere. Si portava dietro i ricordi, il passato tornava a cercarlo. L'infanzia non si scorda, tantomeno se ne va. Torna a trovare l'uomo, poi il vecchio, lo accompagna fino alla morte. Sia stata bella o brutta, intensa o banale, l'infanzia rimane sulla pelle, come un tatuaggio. Se è stata infame, e mai dovrebbe, il cuore indurisce, diventa ghiaccio. Nel frattempo si fanno cose, ci si pongono obiettivi. Traguardi per indaffararsi, tirare avanti, uscire di fatto dall'inferno. O soltanto dimenticarlo un poco. Era uno che si muoveva per dimenticare. Durante l'azione, qualsiasi azione, pensava a quello che stava facendo. In questo modo il passato non tornava a ronzargli in testa e tormentarlo.

Nella difficile arte di stare al mondo si dovrebbe scrivere la vita con leggerezza, scivolare, sorvolare, dimenticare, ripartire ogni mattina da quello che resta. In una parola: fregarsene. Soprattutto non prendere niente sul serio. Ma per far questo occorre essere adatti. Non udire e non vedere comporta una buona dose di cinismo accompagnata dal menefreghismo allegro di chi, la mattina a colazione, batte pacche sulle spalle e fischietta.

Lui rimase in piedi sotto la spinta di un entusiasmo voluto a tutti i costi. Si dava da fare, aveva iniziativa, inventava situazioni, teneva allegra la compagnia. Ma allegro non era. Allegro non lo era mai stato. Salvo quando agiva sotto la spinta effimera e falsamente gioiosa del vino.

Aveva cominciato presto a bere vino. Ancora imberbe affrontò il bicchiere. Prima per spavalderia, sfidando gli anziani che lo volevano uomo. Volevano farlo uomo e lo era già. Poi scoprì che l'alcol fungeva da eccellente "scaccia-ricordi". Ma i ricordi non si allontanano né si disintegrano. Sono acciaio lucido, indistruttibile, incorruttibile. Alcuni durano anche dopo la morte di colui che li ha tenuti nella testa. Il mondo va in malora a causa dei ricordi. Chi li ha messi sotto chiave deve farli uscire, liberarli, o rischia grosso. Vive male, fa casini, soffre, s'ammala. Allora li racconta a qualcuno, in famiglia, agli amici, a più persone. Ecco perché i ricordi durano nei secoli come le piramidi.

Per non morire coi pesi sul cuore uno racconta, si sfoga. Ci provò anche lui. Per molto tempo a parole, poi con dei libri. Non per giustificare o nobilitare il passato e nemmeno per spargere il suo dolore. Il dolore era quello di tutti, non si sentiva depositario unico di sofferenze. Cominciò a scrivere per denunciare, far vedere i torti. Far luccicare il buio. Lo fece per liberarsi un poco dei demoni, togliersi peso di dosso.

Ansie di solitudine nascoste nei silenzi, occhi che domandavano. Una carezza, un parlare a voce bassa. Niente di più. In quella casa non sorrideva nessuno, era una casa di labbra serrate e vecchi. Vecchi stanchi, antichi come le stagioni che si portavano addosso. Rimasero in piedi il tempo di tener vivo il fuoco e tirar fuori dalle difficoltà tre bimbi. Dovevano insegnargli a cavarsela da soli. Vi riuscirono. Non morirono anzitempo solo per quel dovere. Poi, compiuta la missione, se ne andarono. Uno dopo l'altro, come cani abbandonati sulla strada.

Il vecchio finì sotto una macchina. Morì andando a piedi a elemosinare un po' di cibo per i pargoli. Le vecchie vennero ricoverate in un ospizio, ultimo premio di buonuscita. Regalo per aver vissuto nel lavoro e nel silenzio aiutando tutti senza disturbare nessuno.

Qualche volta sentì dire che volevano vederlo. Prima di morire volevano vedere il maggiore dei tre fratelli. Forse dovevano dirgli qualcosa, rivelare un segreto, strappargli una promessa, indicargli una via. Nessuno ebbe un po' di cuore. Nessuno portò il ragazzo a guardare per l'ultima volta le vecchie dell'infanzia. Poi si pentirono, si scusarono. Non serviva. Le cose vanno da sole, è inutile recitare mea culpa.

Con un po' di sentimento, un po' meno egoismo, meno ignoranza, meno cattiveria, ognuno potrebbe migliorare l'esistenza degli altri. Ed essere migliorato a sua volta dagli altri. Invece non è così, ciascuno se la deve vedere da solo. Sempre. E chi paga il prezzo più alto sono i bambini. Nel tempo in cui si dovrebbe essere felici sistematicamente si viene abbattuti. Si tenta di sognare e bruscamente si viene svegliati. Ai disgraziati, a quelli che hanno genitori improvvidi e senza cuore, va ancora peggio. Quelli vengono ammazzati. Viene uccisa la loro infanzia, la loro anima, la loro speranza, la loro timida gioia, i loro piccoli sogni. In famiglie così, dove non esiste amore né un pezzo di pane da mangiare né una briciola di umanità, si diventa grandi in fretta. Adulti subito o sparire, non vi è altra scelta.

L'infanzia è un rodaggio per entrare nella vita. Dovrebbe esser la norma. Invece no. I senza infanzia sono fiori privi d'acqua, stanchi, appassiti, teste reclinate e impaurite, occhi malinconici e bocche chiuse. I bambini la cui infanzia è stata massacrata non parlano. O parlano poco. Rivelano con gli occhi, chiedono "perché", finché saranno in vita. Risposte non ne avranno mai. Una volta cresciuti, se le daranno da soli, meravigliandosi di quanto ottusa fosse la gentaglia che li ha circondati. Allora cercheranno nella memoria qualcosa da salvare di quegli anni. Troveranno ben poco. Quando i passi sono incerti i bambini allungano una mano per aggrapparsi. Se incontrano un bastone che picchia la mano tesa, è facile che perdano la strada. E che non la trovino più. Ma strade ce ne sono tante e forse una vale l'altra. Sarebbe meglio imboccarne una senza troppi spigoli, curve, strettoie. Toccherebbe ai genitori potare il sentiero ai figli.

Al maggiore toccò far da padre agli altri due. Correva, saltava, giocava, con il frugolo attaccato al collo. Il piccolo si teneva stretto, avvinghiato con braccia e gambe, come i cuccioli delle scimmie. Lo portava come avesse un marsupio sulla schiena. Non serviva gran sforzo, il bambino pesava poco. L'altro fratello seguiva in silenzio, era uno che taceva. Se parlava, parlava a grugni ma era molto legato agli altri.

I vecchi non avevano soldi, i pochi che guadagnavano servivano a tirar su i nipoti, perciò regali niente. Mai, di nessun tipo. La nonna non aveva il coraggio di rivelarlo ai bimbi. Meglio dir loro che erano cattivi e per questo il bambin Gesù a Natale li puniva.

Al più grande non tornavano i conti. I suoi amici erano cattivi quanto lui ma i regali li trovavano lo stesso sotto l'albero. Non capiva quel bambin Gesù che faceva differenze! Lo capì invece molti anni dopo, quando non desiderava più regali, e non gli interessava nemmeno più capire. Ma capì. Pensò a quella vecchia terrosa e stanca, al dolore che doveva aver provato ogni volta. Dire loro che erano cattivi pesava. Questo la feriva più di tutto. La feriva a fondo. Dare dei cattivi a tre bambini smarriti per giustificare l'assenza di regali, non era facile.

Non dimenticò mai i suoi vecchi, i vecchi dell'infanzia, quei nonni paterni e quella zia sordomuta. Li ricordò sempre, anche quando fu anziano a sua volta e se ne andò verso l'oblio e la morte in silenzio. Scontrosi e tristi, i suoi ultimi anni. L'infanzia, inesorabile, era tornata a presentargli il conto.

Raccontava alla donna i tempi dell'infanzia. Gli piaceva dire a lei i segreti che teneva dentro. L'unica cosa calda e palpitante era il fuoco nel camino. Il resto, gelo e silenzio. Notti infinite, braci coperte di cenere, stelle come mirtilli, piccole, fredde, lontane. Favolosi e tristi gli inverni del tempo lontano. I boschi sparivano sotto la neve, scavavano buchi, s'intanavano come lepri spaventate. I boschi dolenti dell'infanzia.

Lei era l'unica che sapeva ascoltare, che cercava di capirlo. Che forse lo aveva capito. Quando si ritirò dal pensare, anche lei eliminò i ricordi. Dimenticò tutto e tutti tranne quell'uomo. Quell'uomo inafferrabile, a volte triste, a volte esuberante. Quell'uomo senza pace, senza fiducia, senza futuro.

Avere qualcuno che ascolta è importante. Un essere umano non può tenersi dentro tutto. Quel che è accaduto va consegnato ad altri. Il passato, se rivelato, toglie peso, alleggerisce. Può esser necessario ruminarlo per anni, masticarlo, digerirlo, ma dopo va sputato. Se possibile a testa alta. Espellerlo dall'alto di una certa dignità, senza piagnistei né lagne, come i

rapaci sputano il bolo da altezze infinite. Quel batuf-
folo di piume e cibo cade, va giù, si ferma a concima-
re un'unghia di terra. O a tenere compagnia a un ce-
spuglio, un albero, un sasso. Nel bisogno si traggono
benefici dagli scarti, tutto è utile, tutto aiuta quando
il cielo è buio e non si vede orizzonte. Rivelarsi è aiutarsi e aiutare allo stesso tempo. Versare la memoria
dal vertice della vita, passarla ad altri come le tegole si passano l'acqua. Così, come una mano lava l'altra, confessarsi libera la coscienza a chi offre il proprio passato e a chi lo riceve.

Il maggiore dei fratelli sentì fin da piccolo la necessità di confidarsi. Quella forma di salvamento la sentiva premere, sotto la pelle. Gli urgeva rivelare, confessarsi a qualcuno. Ma a quei tempi era proibita ogni
voce. Non era concepito dire le cose, nessuno voleva sentirle, niente scocciature. Uno doveva resistere,
cedere passo al silenzio, vedersela da solo a costo di
scoppiare. Molti scoppiarono. Ancora adolescenti si
rifugiarono nell'alcol, nella ribellione del lasciarsi andare. Gli anni diventarono lunghi. Ogni tanto piangeva, pensava alla donna che saltò sul camioncino.
L'unica che poteva difenderli, proteggerli, non c'era
più. Se n'era andata. Per anni, ogni volta che vedeva un camion con la cabina rossa, gli veniva un groppo in gola.
  Nevicava memoria, memoria del tempo infelice. Il
tempo che serve a tre bimbi per crescere. Tempo che
non diede loro nulla, nemmeno l'affetto dei genitori.
Anni vissuti con se stessi. Ovunque voltasse lo sguardo il ragazzino incontrava facce tristi, volti di vecchi
silenziosi, voci stanche, rassegnate. Voci che sussurra-

vano appena. Gesti, cenni di occhi, un palpare il silenzio di quella casa misteriosa. Un procedere a tentoni nella penombra appena rischiarata dal fuoco del camino. Il fuoco, l'unico amico, compagno fedele delle sere lontane. I bambini lo abbracciavano, lo stringevano, si facevano accarezzare, coccolare. Si facevano addormentare. S'appisolavano sulle panche di larice brunite, lucidate dal fruscio dei tessuti. Levigate dal tocco di altri vecchi, altri bambini, altre donne, altri abitanti di quella famiglia disgraziata. Gente ormai scomparsa, dimenticata, affondata nell'oblio dei secoli e, forse, finalmente in pace.

I bimbi s'addormentavano come cagnolini abbandonati, indifesi e smarriti. Nel sonno rasserenavano i volti, le guance si stendevano, perdevano ansia e prendevano pace. Il fuoco le arrossava dando loro un colore di mele appena colte. Finché il nonno o le vecchie li caricavano in spalla uno per volta e li portavano di sopra, ficcandoli nel paglione di foglie. Dormivano tutti e tre assieme per stare caldi. Quando si svegliava, il maggiore si spostava nella stanza che dava sulla strada, dove i vetri s'infioravano di brina. Voleva stare solo. La fuga della madre e l'assenza del padre l'avevano reso refrattario a ogni contatto.

La donna accarezza una scultura. È una figura triste, rassegnata. La sfiora, con l'indice la percorre tutta. Nella penombra della stanza non vola una mosca, il silenzio dorme col bambino sul sofà. Sembra uno di quei bimbi del tempo lontano, appisolati sulla panca. La scultura, di piccole dimensioni, raffigura un uomo curvo, chino su se stesso, le braccia sulle ginocchia, la testa tra le mani. È un uomo addolorato, un pensatore senza speranza.

La donna ricorda. Erano anime disperate, cuori che rivolgevano le armi contro se stessi. Sapevano che la condizione umana è dolore, perciò ogni tanto se ne elargivano qualche dose gratis. Vivevano nell'ergastolo del dolore. Poi si liberavano, uscivano per l'ora d'aria proprio come carcerati. E allora erano momenti belli, felici, puliti, intensi. Ma, d'improvviso, come bestie rabbiose, rinchiudevano quei momenti sereni nel carcere ottuso delle incomprensioni. Accecati dal malsano egoismo, non capivano nulla. Diventavano ottusi come la prigione dove cacciavano a calci l'amore dopo averlo umiliato e offeso. Erano individui schivi, asociali, autocorrosivi. Cuori sospettosi e impauriti che, giorno dopo giorno, si vietavano di stare in armonia più di quanto meritassero. Anime complicate, marchiate dall'esistenza, cresciute in bilico su baratri insondabili. Spiriti ignoti a loro stessi. L'esperienza non li aiutava. Invece che cercare di migliorarsi tenevano fronte alta e armi affilate, ferendosi e facendosi male a vicenda. Poveri diavoli, anime colpite, prigioniere del passato, incapaci di rilassarsi e vivere quel poco che restava.

Il tempo, implacabile entità che fa di leggerezza piombo, cammina col suo passo silenzioso, ingannevolmente lento. Il tempo non va adagio come si crede. Il tempo fila veloce trascinando con sé giorni, mesi, anni. Dietro a questi, come una trota all'amo, sta appesa la vita. Il povero pesce ha paura, tira, si dimena, salta, si oppone, ma il filo inesorabile lo trascina verso riva, verso la morte. È questo il tempo! Il grande pescatore cinico e spietato armato di lenza che aggancia le esistenze e le tira a sé. Vive nella casa della morte e tiene sempre pronta sul fuoco la padella di olio bollente per arrostire. Spesso cattura pesci vicino a riva. Sono giovani sfortunati che hanno nuotato per un breve spazio nel mare dell'esistenza. Hanno fatto poca strada, consumato poche bracciate di vita prima d'incappare nell'amo del grande pescatore. Per contro, vi sono pesci vecchi che vorrebbero evitare l'amo e vivere in eterno. E pesci vecchi e stanchi che, senza più squame né forza, l'amo se lo vanno a cercare. Su tutto trionfa l'eterna follia del non vivere, del perdere continuamente tempo pur sapendo che questo mette le ali e vola via.

Anche loro perdevano tempo, ne erano consci. Una parte gliela sottraevano impegni, situazioni, persone, lavoro. Una parte, la più piccola ma la più importante, quella da tenere nel palmo della mano, se la rubavano loro, a vicenda. Erano improvvidi a se stessi. Il tempo puntava la prua lontano, navigava a vento. Quelle povere anime annaspavano nella corrente cercando di riprendere la barca e risalirvi. Un'ora perduta, bruciata, era pena da mordersi le dita. Un giorno peggio ancora. Allora cercavano di recuperare, concedersi ore. Ma quel che è passato non torna, ciò che abbiamo buttato alle ortiche nemmeno, il tronco bruciato diventa cenere, l'albero non esiste più. Occorre attendere altre occasioni, altre possibilità. Un buon momento verrà per dimostrare che si è cresciuti, che abbiamo spento le braci dell'orgoglio. Questa volta non getteremo tutto alle ortiche.

Il ragazzino divenne grande nella casa dove tutto era vecchio e tutto taceva. Solo l'antica pendola, col suo remoto din-don pareva volesse scuotere la casa e togliere dal letargo quei sette esseri sepolti nel limbo delle assenze. A volte altre cose producevano suoni nella casa dalle voci sommesse. La sega faceva ron-ron, rideva, pareva divertirsi nelle mani di quel vecchio gigante che le procurava il solletico sfregandola sui tronchi. L'ascia faceva sccct, come qualcuno che chiama sottovoce. La pialla mandava suoni graffianti a toni alti. Quando sbatteva i denti sui nodi di larice emetteva stridii acuti, come uno che suona l'armonica e non la sa suonare. E poi c'era la raspa che pareva una rana nel fosso quando si mette a gracidare con la testa fuori. Le due vecchie la imitavano, ronfando sulle panche. Il toc-toc della scure somigliava al picchio che lavorava sulla scorza rugosa dell'abete bianco. Il fru-fru della trivella era come un gatto che giocava coi torsoli di pannocchia. E poi c'era il sibilo che prendeva voce dal ferro a maniglie per rendere il legno liscio come vetro: questa lama tirata a due mani, faceva fiiit-fiiit, proprio come la vipera quando s'arrabbia. E intanto che faceva fiiit, produceva riccioli di legno sottilissimi che s'arrotolavano su se stessi anche dieci giri. Sul pavimento ce n'era sempre una montagna di quei capelli biondi o candidi come la neve che si ammucchiava nel cortile a impaurire il pero e il melo col suo gran peso. Il pero e il melo piegavano le ginocchia spaventati, le mani sulla testa per resistere alla spinta. Ogni tanto un ramo faceva crak, la neve sfarinava, veniva giù sfiatando come un corpo che sospira prima di addormentarsi. Il pero e il melo si mettevano a piangere perché la neve gli aveva rotto un braccio. Qualche volta il maggiore prendeva una manciata di quei riccioli e li metteva sulla testa dei fratellini che restavano immobili per non farli cadere, e parevano angeli biondi, fermi in piedi. Angeli senza gioia né sorriso, ma con quei riccioli ridevano un po'.

Pian piano cominciò anche lui a fare rumori con gli attrezzi, un po' alla volta li fece parlare e cantare. Voleva imparare a modificare il legno, piegarlo, domarlo, voltarlo a forme che non fossero le solite del tronco. Un po' aveva paura a tagliare gli alberi. Si spaventava quando cadevano. Nell'apprendere coraggio e tecnica, lo guidava il nonno.

I fratelli più piccoli non manifestarono mai il desiderio d'intagliare legno. Nemmeno nell'adolescenza, quando la curiosità è maggiore. Si tenevano lontani da sgorbie e scalpelli, però guardavano. E quando un pezzo di ciliegio diventava mestolo, i loro occhi s'accendevano di meraviglia. La meraviglia pulita dei bambini poveri.

Le cose non è necessario farle, nemmeno saperle fare, apprezzarle sì. Goderne la loro esistenza è una fortuna. I tre fratelli ne approfittavano. Quelle cataste di oggetti diventavano giocattoli. Vedevano nascere un cucchiaio, una ciotola, un piatto, una pala da fornaio, una forchetta. Aspettavano che l'oggetto fosse finito, poi lo prendevano in mano e subito diventava clava, elmo, scudo, remo, tridente. Non facevano battaglie tra di loro. Non riuscivano a concepire o pensare di mettersi l'uno contro l'altro. Nemmeno per gioco.

Loro tre si volevano bene. Si volevano bene da soli. Sapevano di esistere sul vuoto, avevano sentito l'abbandono, visto la violenza, patito la fame. La scelta di restare uniti era l'unica salvezza, la loro forza, la loro gioia malinconica. L'esistenza era tutta lì, nell'antica casa annerita da secoli di fuliggine. La casa degli oggetti parlanti, delle sinfonie d'attrezzi, di tre vecchi muti, del fuoco nel camino, del gatto Vicelio e del cane Arco.

Quando ormai con un piede nell'età del silenzio guardava i capelli di lei, ricordava quei riccioli di legno chiamati crescenze, prodotti dal ronzio della sgorbia in lunghe spirali, che prima di cadere danzavano sul tornio come molle lucenti. Nella pallida luce del tramonto le crescenze danzavano sul filo. Non stavano ferme, si muovevano, parevano vive. Bastava passasse il gatto agitando l'aria con la coda per animarle. Lunghe, dorate, sottili, le crescenze avevano l'eleganza nervosa di chi è curioso, vuol vivere, capire, imparare. Le crescenze erano lei, erano i suoi capelli, il suo passo schivo e altero, il suo tremare alla minima emozione.

Quando cessava di nevicare i bambini mettevano fuori il muso come talpe dalle tane. Bucavano monti di neve per spiare l'occhio gelido del mondo. Le montagne erano latte cagliato: tutto era sepolto, tutto nascosto, tutto dormiva sotto il magico silenzio dell'inverno. I pendii brillavano come lenzuola lisciate dal vento. I bimbi guardavano. Il vecchio capiva. La notte stessa sentivano la pialla ansimare. Andava lenta, senza gli stridii acuti di quello che non sa suonare l'armonica. L'acero non ha i nodi del larice, o gli inciampi dolorosi del carpino. Vive senza interruzioni, senza spigoli duri né ossa sporgenti.

Al mattino gli sci erano pronti: belli, nuovi, bianchi come la neve che avrebbero carezzato di lì a poco. Quattro viti erano gli attacchi. Fissavano le galosce agli sci, dopodiché partiva l'avventura. Varcata la porta tutto diventava brivido. Vinti i ripidi pendii a suon di gambe e sci in spalla, i bimbi toglievano le galosce da cammino, calzavano i legni d'acero e giù a capofitto senza curve né traiettorie, né programmi. L'unica cosa certa era la direzione. Prima verso l'alto, poi verso il basso, come la vita. Quando cadevano, e cadevano spesso, gli attacchi non si sganciavano, ma si sganciavano i bambini. Uscivano dalle galosce sparati come pallottole. Erano calzature d'altri tempi, povere come i piedi che tenevano dentro. Suole di legno duro, tomaie tenere, sformate, rabberciate, fatte di toppe. Volavano sui pendii, scendevano a precipizio nella valle, verso il fondo, correvano sul piano inclinato della loro esistenza, scuro, buio, senza speranza. I bimbi cadevano, ruzzolavano nella farina bianca, le galosce restavano incollate agli sci. Si rialzavano svelti, si spolveravano, ascoltavano le ossa per sapere se erano intere. Poi, scoprivano che stavano con le sole calze sulla neve. Allora correvano saltando a infilare di nuovo i piedi nelle galosce avvitate agli sci. Ed era meglio trovarli presto, quei pezzi di legno. La gelida cipria s'infilava nei vestiti, dentro al collo, nelle maniche, su per le gambe. La neve intirizziva quei bambini, li sfregava, li massaggiava, li torturava. Li allenava a resistere. Le mani diventavano blu, mille spilli s'infilavano sotto le unghie, rosicchiavano come un topo, il naso congelava, le orecchie dolevano. Anche sotto il berretto di lana le orecchie sentivano freddo. Le schiene sudate fumavano. Verso sera, quando ombre viola scurivano i pendii e le cime dei monti diventavano un incendio di neve rossa e il freddo si faceva duro e la fame mordeva la pancia, i ragazzi voltavano le punte verso casa e rientravano.

Il fuoco li accoglieva brontolando, i vecchi tacevano, facevano cenni. Quasi sempre uno o l'altra, vinti dal tedio della vita e dal peso degli anni, dimenticava di esistere pisolando sulla panca. Appesa alla catena, leggermente discosta dalle fiamme, stava la pignatta del mangiare. Era la cena. Sempre quella, sempre la stessa, una minestra scura e densa, fatta di tutto quel che trovavano: cotiche di porco, creste di galline, fagioli, croste di formaggio, polenta vecchia, latte, riso. Tutto quel che si poteva mandar giù senza crepare, prima o dopo saltava in quella pignatta. Ma era buona, buona da morire. Beata minestra dei giorni lontani, dei giorni dell'infanzia, sbobba di poveri. La fame non assaggia, non entra nel merito, non tasta con l'indice il grado di cottura, né con la lingua il gusto. La fame addenta, beve, divora. Ed è tutto buono. I ragazzi spazzolavano un paio di piatti a testa, sbadigliavano, prendevano la scala e filavano a nanna. Dormivano sognando. Sognavano di crescere veloci, acquisire forza, coraggio, avere da mangiare, scappare da lì, trovare un lavoro, qualche vestito, le scarpe, una bicicletta. Sognavano di vivere come tutti, che la loro vita assomigliasse un poco alla vita degli altri. Poi le fatiche di quei piccoli corpi vincevano i sogni, la voglia di dormire e non pensare annientava ogni visione bella o brutta che fosse. Allora entravano in un sonno di pietra, uno accanto all'altro dimenticavano il mondo, dimenticavano di vivere, parevano morti. Solo il battito del cuore e il sollevarsi delle coperte rivelavano che sotto stavano riposando tre pulcini senza chioccia. Dormivano pacifici e sereni fino all'alba lontana, mentre sui monti pieni di neve vegliava la luna di gennaio.

Appese al muro affumicato, spiano dal buio le galosce dei bimbi. Quelle da inchiodare agli sci, quelle per camminare, quelle per scivolare sul ghiaccio delle strade in discesa. Erano vestiti alla buona, robe da adulti, troppo grandi, abiti riciclati, ricevuti in carità, riadattati per loro dalla vecchia zia sordomuta. La Singer funzionava, e lei ci sapeva fare. Una povera donna. Dicevano fosse santa, capiva il labiale, non dormiva, pregava giorno e notte, amava quei bimbi più di se stessa. Simpatizzava col maggiore che non ricambiava. Quello non ricambiava con nessuno, aveva un groppo dentro, pensava, tribolava, aveva paura e non poteva dirlo nemmeno a se stesso.

Intanto passavano gli anni. Una dopo l'altra arrivavano le stagioni, giocavano, scherzavano, cantavano, poi sparivano. Quattro fanno un anno. Un anno passato in un batter di ciglia. Che potevano fare quei bimbi se non attendere? Ribellarsi. Ribellarsi a chi, chiedere aiuto a chi, andare dove? Stare con chi? Il destino avverso non finiva mai, si trascinava silenzioso e testardo, tenace e gelido tra bufere e schiarite, giorni limpidi che portavano speranza, annientati da sere crude e dolorose che lasciavano attoniti e impauriti.

Spesso il più grande doveva abbandonare il tepore sicuro, la compagnia dei fratelli, le sgorbie e gli attrezzi con i quali voleva imparare a scolpire. Veniva il tempo di volpi e martore, doveva fare il segugio dietro quel padre glaciale e senz'anima. Un uomo adatto a uccidere più di nessun altro. Non aveva cuore di nulla, mai fece un gesto di pietà verso gli animali uccisi. Il bambino vedeva e capiva, ma doveva stare zitto.

I giorni e le notti di caccia invernale erano spietati e al tempo stesso favolosi. Le stelle s'alzavano e cadevano sui monti innevati come pioggia di braci gelide. Le notti nel loro passo eterno erano interminabili e feroci, fredde come le ossa dei morti. Padre e figlio cercavano la volpe, la seguivano, fiutavano le peste al fioco lume della lampada a carburo. Lungo il torrente, veniva loro incontro un mondo fantastico, immobile, congelato nella fragilità del cristallo. Spume di brina, arabeschi di gelo, fiori di vetro vaporosi e delicati crollavano al minimo tocco del piede o del ginocchio. Cespugli di zucchero filato sussurravano tremando al riverbero della luce. Sagome furtive, abbagliate, fuggivano qua e là, come ombre trascinate dal vento. Attraverso inquietanti tenaglie di croda aperte sulla valle, dalle mandibole contorte delle forre trapanate dai ciottoli e dalla gola rocciosa, soffiava un'aria gelida da piagare le narici e incollare le labbra una sull'altra. Su in alto nelle frazioni addormentate baluginava qualche luce, un cane abbaiava. Forse la volpe era passata di là, e l'aveva sentita. Forse abbaiava di freddo, protestava col padrone che lo lasciava all'aperto su un ciuffo di fieno nel gelo siderale. Un mondo ostile, duro e affascinante accompagnava il ragazzino nelle battute di caccia a martore e volpi. L'avventuroso viaggio durava molte ore, non di rado tutta la notte. Il piccolo capiva, imparava la pazienza, si rassegnava presto. Per far passare il tempo guardava le stelle, s'affidava a loro, discorreva con loro fino all'alba lontana. Nove anni sono pochi per cacciare le volpi, notte dopo notte, senza poter dormire. Eppure a quei tempi era così, e non solo lui faceva il segugio, altri bambini venivano impiegati nell'arte della sopravvivenza.

Seguitavano il cammino in cerca della volpe, padre davanti, figlio dietro. Il torrente era ghiacciato, un getto di vetro lucido che copriva i sassi incappucciandoli d'azzurro. Sotto il ghiaccio, che al lume del carburo mandava riflessi d'argento, si udiva gorgogliare l'acqua come se provenisse da remote lontananze. Chissà se le trote dormivano sotto il torrente di ferro o avevano freddo. Il bambino non lo sapeva e si domandava questo. Lui in compenso freddo ne aveva ma non poteva dirlo a nessuno, men che meno al padre. Poteva dirlo a se stesso. Infatti se lo ripeteva di continuo mentre avanzava guardingo, tastando il terreno con le galosce ferrate. Il padre davanti, un'ombra col fanale in mano. La fiammella dalla punta d'oro diventava calore di sogno, fioca memoria di focolare, guida, direzione, indicazione. Ogni tanto al figlio balenava la torva tentazione di sparare a quell'ombra, fucilarla alla schiena, come si fa con i traditori. Poi no, via quel pensiero che gli faceva venire la pelle d'oca. Quante volte il bambino tramò di uccidere il padre. Liberare se stesso e gli altri da quella presenza. Erano eccessi di insofferenza, azzardi di una piccola mente provata, idee per capire come avrebbe reagito dopo aver tirato il grilletto. In fondo, un incidente poteva capitare. Ma cacciava subito l'infame progetto provando orrore per aver solo pensato una cosa simile. Però ci pensava. Soprattutto quando veniva picchiato senza motivo, o per qualche inezia o perché l'uomo tornava a casa ubriaco.

Continuò a tener duro e crescere coi fratelli tra le grinfie di quell'uomo cui la natura aveva negato sguardo e dolcezza di padre. A volte c'erano momenti buoni dove i fatti parevano dare qualche speranza ai tre bambini. Succedeva che quell'uomo di pietra e gelo ogni tanto si sbriciolasse, rompesse la punta diamantata, seminasse un po' di umanità per strada. E allora svelti i ragazzini si inchinavano a beccarla come pulcini. Un gesto di dolcezza, un parlare piano, uno sfiorare di carezza, una parola buona. Non pareva loro vero, e gli saltavano in braccio. Saltavano in braccio al padre per avere tutto d'un colpo quello che non avevano avuto nel corso degli anni. Era come se il drago delle fiabe fosse diventato buono di colpo e non facesse più paura a nessuno. Non pareva possibile ai ragazzini un contatto col padre, percepire il suo calore protettivo di genitore, potersi fidare di lui.

Temevano che durasse poco, che finisse. Infatti era così. Come la saetta che s'abbatte sul larice e ne fracassa i rami, l'ira di quell'uomo s'accendeva improvvisa per niente, un'inezia, e cadeva sui figli spezzando in un lampo quel breve momento di pace. Il segmento di sogno quieto era finito, disperso nel buio. I vecchi ascoltavano e tacevano, altrimenti ce n'era anche per loro. Del resto che potevano fare, o dire? Stanchi, malati di vita, piegati da anni trascorsi a resistere in miseria e silenzio, non reagivano. Anni di dolori e tragedie li avevano spenti. Non avevano più voglia nemmeno di alzare la testa.

I maschi di quella famiglia troncavano le discussioni con la forza, usando mani, piedi, bastoni, coltelli, fucili. A seconda delle situazioni sceglievano l'arma. Il vecchio nonno fu più umano del figlio. Ma in gioventù era stato un sangue caldo e aveva menato le mani pure lui.

Il nipotino dorme. Nella penombra della stanza regna il silenzio delle cose stanche. La donna respira adagio. Un respiro lento, lungo, interrotto ogni tanto da pause fatte di gemiti leggeri. Lamenti sommessi di ricordi, anni bruciati e mai cancellati. Da nessun tempo, da nessun invecchiamento, da nessuna amnesia mentale, nemmeno per pochi secondi. Ricordi tristi. Memorie acuminate che la feriscono mentre ripassa il quaderno di quell'inquieta esistenza. Il tempo minava l'equilibrio, incrinava l'armonia di un legame profondo, tormentato, ma altrettanto vero e nuovo, non di rado condito da infantile gaiezza. Quando dimenticavano di essere adulti, di appartenere all'età impaurita che scorge vicino il tramonto e vorrebbe avere tutto e subito, le cose funzionavano.

Quando non facevano prevalere il proprio io, non premevano avanti progetti futuri, soprattutto nemmeno cercavano d'immaginarlo un futuro, i momenti in cui stavano assieme erano belli e fortunati. E anche in quelli in cui erano distanti, se non si nascondeva nel buio del suo cuore, lei sapeva ridere.

La separazione rende cupi, stanca corpo e spirito,

pone domande giorno dopo giorno. Se il legame non è solido la lontananza recide, separa, scioglie nodi, avvilisce. Fa perdere speranze. Occorre diventare forti, adulti disincantati, per sorridere. Lui rideva poco, però qualche volta succedeva. Il riso di lei invece era contagioso come un trillo di rondine. Era bello quando ridevano. Poi veniva l'ombra. Da lei ereditava ombre, eppure ne aveva abbastanza di sue. Uno raccoglie e conserva le ombre degli altri perché sono anche sue. Gioie e dolori, allegria e tristezza vanno condivisi. Non fosse così sarebbe meglio lasciar perdere. Vorrebbe dire che non c'è nulla, solo opportunismo, e qualche storto capriccio di comodo.

Ma loro non erano storti, lo sapevano. Per questo cercavano di ricucire gli strappi. Ogni volta ne uscivano nuovi. Sortivano migliori, aggiustati dai loro stessi difetti, dalle loro insicurezze, rodati a lucido da ansie e paure. Eppure i giorni lasciavano il segno, cicatrici sottili e indelebili, che restavano lì, a segnare tappe, mettere in dubbio cose, scardinare certezze, spegnere il sorriso a distanza.

Ora che tutto è finito, e la vita sta inchiodata alla malinconica porta del passato, ora che tutto è già stato e il tempo le ha spruzzato neve sui capelli, lei si ostina a ricordare ancora quell'uomo.

Sorride dolcemente di quelle lontane memorie. Un sorriso rassegnato, senza ironia, né dramma, senza rimpianto, solo negli occhi il ricamo impercettibile di un rimorso assopito. "È andata così" pensa. Lui di rimorsi ne aveva tanti. Li raccontava per scaricarli, liberarsene. Ma non riusciva a scrollarseli via. Li portava addosso. Tutti. Tatuati sul corpo, sepolti sotto il vetro della pelle. E si vedevano e fiorivano. Fiorivano alla stregua di gemme a primavera, vivevano in lui, ribollivano come vulcani in eruzione. Per questo non rideva. E non dormiva.

Lei fu medicina per lenire le piaghe di una vita infame. Non per guarirle. Dopo una certa età non si guarisce, il male è cronico, ma se non è metastasi o cancrena, lascia tempo di andare avanti. Lei aveva migliorato il suo sguardo, gli aveva fatto scoprire pregi e difetti che non conosceva, che non sapeva nemmeno di avere. Lei era un bisturi, disossava, metteva a nudo, sezionava.

Per la prima volta, quell'uomo imprendibile, imprevedibile, estroso e pieno di spine aveva sentito il richiamo di qualcuno, il bisogno di confidarsi. Lei gli aveva aperto uno spazio, reso morbido il cuore e questo lo turbava. Era una faccenda bella, e la bellezza creava inquietudine.

Dal silenzio dell'età, dal limbo rassegnato della vecchiaia, provengono suoni lontani, canti d'amore che la donna ripete sottovoce. Poi ascolta. Sente note di armonica a bocca, melodie improvvisate senza capo né coda, dal timbro dolce e malinconico. Quelle voci tornano da tempi remoti, da stagioni disperse a farle battere il cuore. Una lacrima esce alla luce, brilla nella penombra della stanza prima di segnare quel viso scarno, disseccato dal sale dei ricordi. Vive nel suo spaesamento, nell'oblio tedioso di giorni sempre uguali.

Malinchetudine, fusione temporale di malinconia e solitudine, è la compagna di notti insonni, consumate nel silenzio. Quelle ombre contengono il passato, il presente, il futuro. Un futuro con voglia di chiudere, leggibile nel languore degli occhi ravvivati solo ogni tanto dal ricordo di quell'uomo, che quando non parlava, suonava l'armonica a bocca. Lei ascoltava e pensava.

Una volta lo aveva portato nei suoi luoghi, tanti anni prima. All'alba, quando cantano i cuculi, all'ora che il buio molla la presa e cede passo al chiaro. L'uomo si era spaventato. Gli pareva di vedere gente muoversi, circolare per la stanza, ombre scendere la scala, voci sussurrare.

Era solito dire che le case d'altri non accettano intrusi, non sopportano nemmeno il loro odore. Le case si difendono, mandano ombre a cacciar via gli estranei, a render ostica la loro permanenza. Insomma, le case vendono cara la pelle. Poi s'acquietano, dicono sì, ma ci vuole tempo e pazienza. Dal giaciglio spuntavano aghi. Aghi di luce che pungevano. A quelli preferiva gli aghi dei pini. I suoi divani preferiti stavano all'aria aperta, tappeti di sottobosco, cuscini di muschi stesi nel folto ombroso appena forato dal sole di luglio. Era quello il suo habitat, eppure nella dimora degli aghi di luce ci sarebbe rimasto volentieri. La sentiva diventargli amica, complice, percepiva che non lo avrebbe messo alla porta. Ma era altresì convinto che le case degli altri non si concedono mai del tutto al forestiero. Lasciano un angolo dove mettere di sentinella la loro presenza, il loro dominio, la loro personalità. E per quanti anni l'ospite possa vivere tra quei muri, al minimo screzio egli sentirà rinfacciarsi che è un intruso. Le case degli altri tengono memoria di madre. Se non l'hanno visto nascere nella loro pancia, non accetteranno mai il primo che passa. Anche se questo viene tirato dentro per le orecchie, saranno sempre pronte a ricordargli che lui è uno che prima non c'era.

La donna ricorda ogni parola, ogni fatto. Rivede i momenti in cui lui le raccontava storie. Lei era una che sapeva ascoltare. Ascoltava volentieri. Si faceva incantare dalle avventure che lui dipingeva per scacciare la paura. Quell'uomo tormentato dal passato avrebbe trascorso la vita affabulando e in parte lo fece. Non perché fosse convinto che le sue storie avessero qualche valore. Le sue storie non avevano alcun valore ma andavano tramandate.

Così sopravviveva. Chi tace muore prima e muore male. La verità sta dietro le spalle. Ci segue passo passo, come l'ombra, le stagioni, l'infanzia, i rimorsi. Davanti si lascia l'allegria, che se ne va da sola al lato opposto della strada, al contrario di noi, del nostro passo, come duellanti che s'allontanano prima di voltarsi e sparare. L'allegria spara addosso all'uomo prima di abbandonarlo. Ma non lo uccide, lo ferisce soltanto.

Lui si portava in giro la piaga, la nostalgia di qualche dolcezza. Allegro lo fu per brevi attimi, momenti buoni, lampi di speranza gioiosa, segmenti di gioia quieta in mezzo al tumulto degli incubi. Sulla tomba dei fallimenti cadeva l'ultima foglia di un faggio.

La donna sta lì a pensare, a sfiorare col dito le sculture, pulirle, lucidarle. La polvere del tempo non le tocca, la polvere del tempo sta fuori dalla porta. Nella memoria tornano orecchini di ciliegie, lamponi, fragole e il torrente che portava via le cose. Pezzi di legno gonfi d'acqua correvano a valle, verso il loro destino, chissà dove. Alcuni s'arenavano su qualche riva, a disfarsi. La pioggia li appesantiva di nuovo, il sole li seccava ancora, il vento li toccava. Un andare e venire, come la vita. Appesantirsi e alleggerirsi, riempirsi e svuotarsi, ridere e piangere fino a sbriciolarsi.

Ora anche lei attraversa il suo campo di solitudine. Ricorda boschi dove ridevano gli alberi, dove co-

glieva funghi. Crinali, lame di cielo, cacciatori, ta-
glialegna. Nell'infanzia fu costretta a fiutare la vita,
segugio anche lei di cacce non richieste. Di notte la
colpisce l'insonnia, tornano leggende dimenticate e
alberi, sempre alberi. Quei boschi. Boschi di mirtilli e more, gli orecchini di ciliegie, l'allegria spenta
dall'incognita: "Che sarà?". Ora lo sa. Lontani ormai
erano i giorni, lontano il paese dei camosci, insolen-
te, misterioso. Il paese dei boschi e dei torrenti. Sulle
rive cantavano i tordi, percepiva il sussurro viscoso
dei giuncheti, tutti assieme, uniti per mano, fratelli
spensierati coi piedi nell'acqua. Il silenzio di queste
notti senza sonno è impalpabile. Cade come polvere,
si stende sul paese dei torrenti, copre i boschi, le valli, gli orti. Giunge nella casa di penombra, la invade,
la riempie, la chiude.

Il bambino dorme. Dorme preparandosi la vita,
cova la sua vita di piccino, sente l'amore attorno a sé,
sotto la conca perfetta della notte. Ancora non corre,
non fa il segugio, sta immobile, è la vita che corre verso lui. Correrà dopo, come quell'uomo senza pace.
Quell'uomo rincorreva la vita che lo aveva sorpas-
sato. La donna lo sa. Un dolore le preme i seni, taglia
dalla parte del cuore, gli ultimi anni trascorsi ascol-
tando. È finito tutto, tutto è stato un lampo. Un lampo
che ha attraversato i sogni, occhi smarriti, brevi gioie
che hanno illuminato notti senza stelle. Se ci pensa, e
ci pensa, la vita è stata lunga, faticosa, disperata, e feroce. Giorno dopo giorno, anno dopo anno, pareva interminabile. Ora rimane soltanto di aspettare, ferma,
lì dentro, senza muoversi. Addio boschi, orecchini di
ciliegie, gioventù, l'amore di un uomo impenetrabile,
che fuggiva da se stesso, dagli altri, dal mondo. Restano paesaggi nello sguardo, memoria dell'autun-

no, lo spettro gelido del nulla, orti ghiacciati, camini senza fumo, case vuote.

È per quel bambino che tiene ancora aperto il libro della vita. Conta i giorni uno alla volta, segnandoli con l'unghia come grani di rosario. Non fosse stato per quel pargolo sarebbe scomparsa. Ormai non pretende niente, non vuole niente, aspetta soltanto. L'autunno della memoria la circonda, l'abbraccia, le tiene compagnia.

Di notte, nelle eterne notti senza sonno, ascolta una storia, la loro fiaba. Ripete nella mente i racconti che ha udito. In quei brevi segmenti di sogno, le fiorisce davanti il passato, visioni recenti come allora, come se tutto fosse uguale, come se non fosse passato tanto tempo.

S'appoggia al bastone, in quella stanza semibuia e silenziosa, rischiarata da ombre remote, fantasmi di memoria. Brandelli di lontananze che tornano a cercarla come l'infanzia torna a cercare il vecchio alla fine dei suoi giorni.

Anche lei è vecchia. Una donna anziana ancora altera e orgogliosa. Pur reggendosi al bastone ha sempre quel passo di onda che s'infrange, quell'andare sicuro a viso alto. Il bastone porta scolpita sul manico l'effigie di una civetta. Simbolo di saggezza anche se lui saggio non lo era mai stato. Il suo danno si chiamava impulsività. D'altronde, si è quel che si è non quello che si vorrebbe essere. Anche se occorre far di tutto per migliorarsi, è difficile approdare a un buon risultato. Lui ci provava, e scolpiva civette, simboli di saggezza.

Il bastone è cavato da un nocciolo, legno che ama il branco in cui si resta uniti per difendersi e offendere. I noccioli sono impenetrabili, invincibili, non corruttibili. Fanno blocco unico, nessuno deve entrare, lasciano cadere i frutti così che l'uomo li possa cogliere. I noccioli si concedono stando lontani, mettono corazza, amano respingendo. Il nocciolo usato per il bastone fu scelto solo per sfruttarne la curva. Loro erano animali solitari, individui che mal s'adattavano al branco, e nessun nocciolo o raggruppamento di sorta poteva rappresentarli.

Ricorda con nostalgia le calate di quell'uomo in perenne fuga. Arrivava e ripartiva, ripartiva e arrivava, sempre inquieto, lo sguardo perduto lontano, come per scrutare un nemico, come se qualcuno lo volesse catturare e chiudere in gabbia.

Rammenta alcuni di quei momenti fugaci, intensi, ardenti come fuoco di rami secchi. Era l'autunno. Un autunno stanco e malinconico come i tanti ormai passati. Un altro autunno senza storie, solite faccende, gente che preparava il tempo e la legna per l'inverno. La festa dei colori incendiava i boschi, rallentava i passi. E bisognava andare piano per guardare. I giorni d'autunno non raccontano storie, propongono visioni. Regalano boschi di rame e oro, prati pettinati dal vento, campi vuoti, aria tersa. E pensieri. Immagini silenziose che non raccontano, muovono riflessioni. Per un uomo di una certa età sono sempre le stesse. Egli camminava lungo il tramonto, gli anni volarono via veloci, gli autunni s'accumularono di corsa, come le primavere, le estati, stazioni di transito che lo portarono alla fine. La fine della vecchiaia, della stanchezza: la morte.

A una certa età non esistono più le stagioni, esiste il tempo che passa.

A quel punto un uomo ha paura. E lui avrebbe voluto rinunciare ai sentimenti, abdicare, cedere, arrendersi, aspettare la fine facendo il barbone della vita. Poi ragionò, pensò che non era il caso, sentì che non era giusto. Se poteva prendere ancora qualcosa che la cesta avara dell'esistenza gli offriva, l'avrebbe fatto. Lo prelevò pian piano, senza pretendere molto. Era uno che s'accontentava. Del resto che doveva fare? Atteggiarsi a giovanotto? Avere esigenze di anni in fiore? No. L'unica cautela cui attendeva era quella di non apparire ridicolo. Stava attento a questo. Vedeva attorno a sé uomini fasulli, fragili, insicuri. Uomini che non si piacevano, non accettavano sui loro corpi usati gli sfregi del tempo. Correvano ai ripari con restauri e tinture, rendendosi patetici e ridicoli. Una volta rifatti, ambivano a ragazzine. L'uomo, inguaribile vanitoso, a qualunque età si fa prendere dal desiderio di piacere. Vanitoso lo era stato pure lui. Un tempo fu vanitoso. Ora non più. Ora non faceva nulla per abbellirsi. E, sovente, abbruttiva quel che restava affondandolo nei bicchieri di vino, e non a caso. La vita degli uomini è piena di misteri, lui non faceva eccezione.

Lei ricordava i giorni lontani, quelli buoni, sereni, trascorsi un po' assieme, un po' ignorandosi, facendo finta di niente. Era cautela fingere indifferenza. Dove apparivano, venivano pesati, valutati, indagati. Comunicavano lo stesso. Incrociavano sguardi, colpi di fioretto, guizzi, scintille di occhi parlanti. Si scivolavano addosso l'un l'altra senza che nessuno se ne accorgesse.

I giorni li vivevano con l'immaginazione. Di notte restavano abbracciati, dormivano qualche ora, vegliavano in silenzio, ascoltavano il battito dei cuori. Lui sussurrava, spesso accennava alla vecchiaia, alla morte, alla differenza di pensiero. Lei ascoltava. Custodiva nell'anima la dote rara di ascoltare.

Ma vivevano lontani, gran parte del tempo non c'erano l'uno per l'altra. Si stringevano da lontano, s'abbracciavano virtualmente, camminavano, salivano sui monti, annullavano distanze. Sognavano, tutto qui. E col sogno riuscivano a creare un ponte magico, un elastico misterioso che li faceva schioccare l'uno contro l'altra come fossero realmente uniti. Questo metodo di salvamento, innocente surrogato del cuore, li aiutava a sopportare separazioni, lontananze e la malinchetudine, quel misto di malinconia e solitudine che li avvolgeva.

Era una donna onesta, perciò esigeva onestà. Ma per rispetto altrui, per egoismo altrui, sacrificavano la limpidezza, nascondevano il loro sogno, evitavano la libertà di camminare assieme nella luce del giorno. Forse era giusto così, forse così era meglio. Per tutti. Fu giocoforza vivere nell'ombra, nutrivano ombre circondati da ombre.

Molti anni dopo lei è diventata un'ombra. Silenziosa, presente, misteriosa, antica. Trascorrevano ore a ritmo di respiri, contavano quelle poche nella mente, una per una, gocce di resina, essenza che chiude le ferite dell'albero. Lei era la meridiana, concedeva tempo con discrezione, lasciava che la sua ombra scivolasse su di lui senza rumori né clangori. Lui era l'intonaco sul quale, come un affresco gentile, stava sospesa la meridiana. Intonaco indurito dal tempo, base sicura di calce aspra e terra secca, stabilizzata dagli anni.

Momenti che adesso tornano, passano davanti a lei come l'ombra della meridiana passava sulle ore. Li carezza leggera con la punta del dito. La meridiana regge il chiodo nell'intonaco, il segno che proietta è l'ora dei suoi ultimi anni. Ma il sole fa il suo giro e il tempo vola via. Nonostante i cenni di fermata l'autista della vita non arresta il mezzo. L'ombra e la meridiana erano tutto, come il chiodo e l'intonaco. Assieme si tenevano compagnia, segnavano l'andare dei giorni. Solo quando c'era il sole. Senza sole la meridiana imbruniva, non dava nulla. Ma il tempo passava lo stesso, filava veloce, l'intonaco iniziava a scrostarsi.

D'estate i bambini salivano alle malghe a fare i garzoni. I due grandicelli ricevevano solo vitto e alloggio, soldi zero. Il piccolo rimaneva coi vecchi. Furono stagioni di fatiche, fughe all'aria aperta, libertà sorvegliata dal malgaro. Stagioni di formazione, apprendimento. Due ragazzini diventavano grandi, entravano nel mondo adulto con parecchio anticipo. Senza aspettare l'ora, senza rodaggio alcuno. Bruciando tappe ed energie, con mani spellate e il sonno arretrato, due bimbi si facevano uomini.

Degli anni alle malghe, delle intense e assolate estati alle malghe, egli ricordava le corse. Corse senza sosta e senza fine. Salite e discese, su e giù per pascoli, boschi e terre ripide a radunare le manze, bestiacce dannate, scaltre e veloci come camosci. Quelle giovenche lì, col diavolo sotto la pelle, non avevano pace. Erano inguaribili esploratrici, ricercatrici del nuovo, indagatrici del mai visto. Bestie d'avanguardia, non stavano mai ferme, amavano viaggiare. E viaggiavano. Altroché se viaggiavano! E i due bambini, alti una spanna, dietro di corsa, a cercarle, tendere l'orecchio ai campanacci, trovarle, portarle alla baita, farne branco. Una volta radunate, le fascinose manze si guardavano nel muso, ridevano, pareva si mettessero d'accordo. E poi, al cenno di una sola, via d'improvviso, di nuovo al galoppo come puledre in fuga. E allora anche i bimbi partivano al galoppo, a rincorrerle, ansimando con ancora il fiatone di prima.

Tutto il giorno così, tutti i giorni così. Fughe, corse e salti in un mondo fiabesco, vigilato da vette rocciose e sguardi misteriosi di animali che spiavano nascosti, protetti da fitti boschi che oscillavano alla lieve spinta delle brezze estive.

Paesaggi da sogno passavano sui bimbi come un velo rinfrescante. Pascoli verdi salivano in alto serpeggiando a solleticare i piedi alle montagne. Lingue d'erba fitta e sottile andavano su a leccare le rocce e poi si voltavano di corsa, tornavano giù, a infilarsi e perdersi nei boschi solitari, spossati dalla calura. Brontolio di sorgenti, scrosci di cascate, gorgoglii, sussulti. Il torrente in basso luceva. Col suo filo d'argento cuciva la valle lontana. Ruscelli parlottavano qua e là, si chiamavano, rispondevano. Uccelli di ogni tipo facevano pit, rincorrevano le compagne, frullavano, sciamavano come api da un albero all'altro facendo crepitare le foglie col rumore di grandine sul bosco. Poi, d'improvviso, tutto taceva. Come ubbidiente a un ordine perentorio e misterioso, la natura faceva ssst e nessuno apriva più bocca. A quel punto, in quel magico momento, calava sulla montagna il grande silenzio del mezzodì.

Da remote lontananze provenivano, appena percettibili, i suoni dei campanacci appesi al collo delle manze in fuga. Erano di nuovo lontane. Vagavano a cercare erba fresca respirando quella pace e quel silenzio calati d'improvviso. Sui pascoli alti e sulle rocce si disegnava l'ombra solenne dell'aquila. Volava senza batter d'ali, sostenuta dal fiato rovente dell'estate. Ruotava in cerchi, ogni volta più ampi, girava lenta, sempre più lenta, s'allungava, allontanava l'ombra un poco alla volta fino a sparire dietro le schiene affilate dei monti. E allora anche l'ombra faceva un guizzo e spariva. Non c'era più.

I bambini ascoltavano. Era uno spettacolo da ascoltare, visioni da sentire. Immagini per l'udito, non per la vista. C'era da sentire quel silenzio, quei soffi, i fiati caldi dell'estate, quel brusio di sorgenti, i sussurri delle cascate, i campanacci che arrivavano da costoni dispersi nella luce accecante.

Fu in quegli anni, nelle solitarie stagioni di malga, negli assolati meriggi di luglio avvolti dal mistero di cime aspre e lontane, che si fissò per sempre nell'animo dei due bimbi l'amore per la montagna.

Li accompagnò la memoria di quei boschi, di quei monti, della miseria, delle fatiche, della fame, del paese orrido e tenero in cui vivevano. Il loro cuore rallentò. Lungo quegli anni, il cuore di bambini dei monti cambiò, mutò volto, batté lento, si fece più crudo. Per resistere, imparare, dormire senza sussulti, per crescere senza venir sopraffatti, fu giocoforza indurire il cuore. Dovettero dare senza pretendere, agire senza parlare, subire senza fiatare. Così, semplicemente così, quei bambini s'avviarono sul sentiero incerto dell'adolescenza. Non fu difficile percorrerlo, lo avevano già potato, pulito, sramato, consolidato. Erano ormai adulti, bambini adulti, vecchi d'esperienza. Vedevano lontano, si sentivano sicuri, potevano farcela.

Ma l'assenza della famiglia lasciò cicatrici indelebili nell'animo del maggiore. Egli si portò tatuate addosso quelle stigmate e furono, nel bene e nel male, segni fondamentali nel futuro della sua esistenza.

Tornavano a valle con addosso la dolcezza dell'autunno. Le prime foglie cadevano colorando la terra, rendevano il passo lieve, parlavano del mutare della natura. Magri, tirati, allenati, con la pelle scura sulle ossa e poca voglia di andare a scuola, i due fratelli rientravano a casa. Ritrovavano il terzo, quello piccolo. Si piazzavano di nuovo in quel nido di vecchi che sapeva di fuoco, caligine, minestroni e piscio secco sui vestiti.

I bimbi riportavano in quel tugurio una nota d'allegria, anche se stavano zitti. L'allegria per quei vecchi era rivederli, consegnar loro le storie della sera, lasciare un buon ricordo, osservarli crescere. I vecchi parlavano poco ma ogni tanto lo facevano. Quando il silenzio riempiva i boschi provavano brividi al cader dei primi fiocchi, raccontavano storie. C'era sempre quel fuoco, il grande falò in centro alla cucina. Decideva lui, comandava lui, come un re con lo scettro di fiamme. Se erano basse chiedeva rinforzi, i vecchi buttavano brancate di carpini che scricchiolavano, gemevano, alzavano faville. Era come se gridassero prima di pigliar fuoco e farsi cenere. Tutto si fa cenere perché tutto è fuoco. La vita degli uomini è incendio, una vampa che arrostisce in un lampo, li consuma. E il vento implacabile degli anni li porta via. Gli uomini sfiatano e scompaiono come polvere in fuga. I giorni si disfano uno dopo l'altro, gomitoli di filo arrotolati male, gettati nelle scarpate del destino, vinti dalla tristezza.

I tre ragazzi non ambivano a nulla, osservavano, aspettavano, sognavano quel che di norma si deve ai bambini: un pezzo di pane, un vestito, le scarpe, un truciolo d'affetto. Niente di più. Ma, di quei figli nati per accidente, pareva non fregasse niente a nessuno.

Prima c'erano loro, gli adulti che decidevano, poi gli altri. E gli altri pagarono la precedenza dell'io, la cattiveria, la vendetta. In una parola pagarono l'ignoranza e l'ottusità delle persone. Elargire dolore gratis, è la peggior cosa che un essere umano può fare. Lo fa con metodo e costanza, distribuisce dolore, e ce n'è per tutti su ogni continente.

Fasci di rami ardevano nel camino, crepitavano, diventavano cenere, i pensieri s'addensavano sul viso dei bambini, preoccupazioni tante, speranze poche. Che fare? Attendere, non rimaneva altro che attendere.

Bisognava alzarsi alle cinque, dare una mano, governare le vacche, due bestie vecchie e magre da far pena. Occorreva mungerle, fare il formaggio, il burro, la ricotta. Formaggio e ricotta li cagliava il nonno, ma il burro toccava a loro. Battere la zangola a suon di braccia un'ora, un'ora e un quarto, forse più. I due grandicelli si davano il cambio. Quando gli avambracci dolevano, uno mollava, si faceva da parte, e cominciava l'altro. Velocemente. Guai a far riposare la panna, questa riprendeva fiato, si ribellava, tornava indietro, non si faceva indurire, non diventava burro. E allora erano rogne, il vecchio grugniva, prendeva a calci, tirava orecchie. Il burro era oro, guai mancarlo. Un oro dolce, giallo, buonissimo da mettere sul pane. Pane duro, rappreso, vecchio di giorni, buono anche così. Tagliato a fette e spalmato di burro era ottimo, nel latte si scioglieva, tornava tenero, nel sugo di selvaggina era ancora migliore. Benedetto quel pane duro come un sasso. E benedetti i negozianti che lo riservavano ai poveri, agli indigenti, ai miseri, cedendolo a poco prezzo. E segnando il conto sul quaderno, aspettando con pazienza quei soldi che non arrivavano mai. Un maledetto quadernino marrone pieno di righe, numeri, cifre, totali. Un libriccino sottile che portava stampigliata su ogni pagina la famigerata scritta "da pagare". Se qualcuno non pagava, o pagava con troppo ritardo, pane vecchio. Con spesa a credito, specialità e sfizi, zero. Il pane fresco era patrimonio di chi pagava in contanti ma i bimbi non lo sapevano, non pativano differenze di classe. Avevano fame.

Veniva tempo di riprendere la scuola. Il maggiore non aveva voglia di stare sui libri, preferiva le ore in cui il maestro faceva lavorare gli alunni con le mani. Allora intagliava pezzi di nocciolo col temperino, cavava piccoli totem, visi grezzi, musi imbronciati, gente con facce da paura. Forse erano sogni a occhi aperti, visioni infami che gli avevano scorticato la pelle.

Da adulto raffigurò il dolore. Quando diventò scultore di tronchi, le sue statue furono emblemi di silenzio, dolore, simboli del muto accettare l'esistenza con le sue ciniche leggi di sopraffazione. Anche la maternità fu tema costante. Non era stato cullato né allattato, né carezzato, scolpiva mamme che cullavano bambini, allattavano al seno, carezzavano. Raffigurava ciò che non aveva avuto.

Il ragazzino seguitava imperterrito a graffiare volti sugli oggetti. Volti che lo guardavano, gli parlavano, gli tenevano compagnia. Aveva bisogno di compagnia, costruiva schiere di amici che lo accompagnassero, osservassero il suo avanzare nella vita. I soldi non c'entravano, le cose che intagliava mettendoci l'anima non avevano nulla a che fare col denaro. Ma il vecchio non capiva. La miseria, lunga secoli di fame, gli aveva tolto il superfluo dalla fantasia, perciò ogni azione secondo lui doveva portare a un guadagno. Guadagnare qualcosa, anche a costo del massimo dispendio di energie e impegno, era il suo motto.

Sbagliò molto quell'uomo, come tutti del resto. Sbagliò anche nei confronti del nipote. Dopo un certo tempo, infatti, la gente iniziò a comprare i mestoli col viso, i cucchiai con naso occhi e bocca, gli utensili che ridevano e spiavano. A quel punto il vecchio si arrese, disse di non capire la gente e lasciò campo libero al ragazzo: che intagliasse quel che voleva. Non si rendeva conto che il bambino, assieme ai legni di quei boschi, stava intagliando la sua vita. La stava sbozzando, le dava una forma, quella che sarebbe rimasta fino alla morte. Il resto sarebbero state finiture, dettagli, limature. Politure interessanti, non sempre necessarie.

Ciò che conta, ciò che impugna il timone del tempo per condurre il futuro di un uomo è la forma iniziale, quella scolpita negli anni curiosi dell'infanzia, in quelli inquieti dell'adolescenza. Era difficile uscire indenni da quei posti scortica-infanzia, non ereditare il comportamento di quella gente dura, ignorante, incapace di qualsiasi dolcezza. Gente che mutilava innanzitutto i loro cari privandoli di un gesto d'affetto, una cortesia, uno sguardo buono. Mai, in quei cerberi, un cedimento, un lasciarsi andare, una parola dolce. Non si rendevano conto che in quel modo eliminavano ciò che li avrebbe fatti star bene, vivere in pace, campare per qualche attimo felici.

Nonostante si fosse difeso strenuamente dalla cattiveria gratuita, qualcosa aveva ricevuto suo malgrado da quella disgraziata famiglia. Qualcosa di acuminato e ostico che coloro che in seguito lo conobbero avrebbero sperimentato sulla loro pelle. E non una sola volta.

La donna carezza con la punta dell'indice una scultura di tasso, legno d'osso scarnificato, privo di ghingheri, inattaccabile dai tarli e dal tempo. È un volto d'uomo grande quanto un pugno, l'espressione dura e cinica di chi ne ha avute abbastanza e, se vuole, può essere cattivo e far male. Il viso di un uomo pieno di amarezza, uno che non tollera critiche né accuse senza fondamento. Ne aveva avute abbastanza. Le trema la mano a carezzare quel volto di legno rossastro, sangue indurito da anni miserabili, corteccia esposta alle intemperie, graffiata, battuta dal vento, sbozzata col piccone, rifinita a rasoio. Lo ricorda. Quando s'adombrava per i suoi fantasmi, non faceva sconti a nessuno. Tantomeno a se stesso. La valanga di epiteti scendeva, s'allargava come sangue sulla neve. Dove le parole toccavano scarnificavano, si fermavano a corrodere come acido solforico.

Era un uomo contorto, attorcigliato su se stesso come un legaccio di sorbo montano. Facendo male a chi amava voleva farsi male, uccidere se stesso. E ci riusciva. Ci riusciva in maniera perfetta. Specialista in autolesionismo a scapito di chi amava. Passato lo sfogo, appagato il meccanismo di far male per star male, si svegliava come da un sogno. Capiva la cattiveria del suo agire, correva ai ripari, chiedeva scusa, domandava perdono. Piangeva dentro di sé. Un pianto senza speranza, pentimento autentico ma privo della parola fine. Sapeva che sarebbe successo di nuovo, che sarebbe incorso nello stesso errore. Allora si disperava come l'alcolista a ogni ricaduta. Era in una trappola, tutti sono intrappolati da qualcosa o in qualcosa. Il fatto stesso di venire al mondo è una trappola a volte mostruosa.

Ma le battaglie servivano. Dopo le risse quei due

capivano meglio, promettevano di aiutarsi a camminare bene, a diventare saggi, ad aggiustare il tiro, a mirare alla tolleranza, levigarsi. Ma ci voleva tempo. Tempo, pazienza e lavoro, giacché la materia era rimasta grezza. Quella di lui, incrostata dagli anni, non voleva farsi pulire. Quella di lei, piena d'incertezze ostiche da scardinare non voleva cedere, rimaneva dritta, il petto in avanti esposto alle bufere.

Imparavano. Piano piano, miglioravano il futuro. Ma non era facile. Fosse stato facile avrebbero chiuso da tempo. Avevano volontà, erano onesti, ingredienti indispensabili per tentare. E allora avanti. Ogni volta una batosta, badilate in faccia, delusione, rabbia. È difficile che il fallimento introduca ulteriori speranze, allarghi le prospettive. Ma ogni volta era un passo in più verso il meglio. Di questo erano consapevoli, perciò tenevano duro, insistevano, riprovavano.

Da molto tempo il ragazzo camminava sul sentiero di un'esistenza infelice, dura e tribolata. I fratelli lo seguivano, gli stavano accanto muso a muso. Essendo più giovani lo imitavano. Quello piccolo cercava di nuotare nel mare ostile della vita, ma boccheggiava. L'acqua di quelle tre vite da naufraghi era pantano, sabbie mobili che inghiottivano, marciume dove i miasmi degli adulti galleggiavano a fil di naso. Erano andati avanti. Cresciuti a pane raffermo e botte, fatiche e spaventi, avanzavano adagio su un terreno in salita. Faticando giorno dopo giorno nel lavoro e nella scuola, i primi due stavano sviluppando spalle larghe e carattere forte. Del resto, così o crepare, non c'era altra via. Avevano dodici e undici anni, s'erano fatti adulti subito, allenati, esperti di tutto, e buoni operai. Il piccolo no, quello aveva appena cinque anni e, anche se si impegnava, era gracile, aveva le spalle a punta del bambino, lo sguardo innocente di un capretto da latte. Ma era fatto di buon materiale, viveva anche lui nella giungla della miseria dentro mille difficoltà, fatiche e privazioni.

Sono passati tanti anni. Uno dei tre non c'è più. Manca da oltre quattro decenni ma la sua memoria fatica a sbiadire. Essa va e viene, come nuvola errabonda in cielo. Il suo volto appare confuso e triste nelle notti senza sonno del fratello maggiore. Gli passa davanti ondulando dolcemente come un'immagine riflessa dall'acqua. Giù alla vecchia casa ci sono ancora i suoi pantaloni, piegati sullo schienale di una sedia, in attesa che ritorni. Sotto la sedia, tra la polvere dei tarli che rosicchiano i solai, un paio di scarpe aspettano il padrone. Non aveva ancora diciotto anni, quando morì. Era alto un metro e novanta, misura che suscitava invidia nel maggiore. Qua e là, sul vecchio comò, alcuni oggetti lo ricordano. Un berretto stile marinaio, souvenir d'una remota gita a Venezia col prete del villaggio. Un anellino d'argento, forse regalo di quella ragazza di cui parlava nelle sue lettere. Missive provenienti dalla Germania, dove finirono i suoi giorni. Una cinghia di pelle, qualche moneta, un pettine. Era quel tanto vanitoso, come tutti i giovani, viaggiava col pettine in tasca. Tutto lì. Cose piene di malinconia e tristezza, che il fratello non guardò più. Per non tornare a lui, a quei tempi, al giorno della sua morte. Molte volte pensò di prendere quelle robe e darle al fuoco, o buttarle nel camion della spazzatura. Che senso ha fissare oggetti per ricordare una persona? Niente, nessun senso. O la persona è lì o non c'è, quindi al pattume tutto ciò che la evoca. Così pensava un tempo, ma allora era giovane. Dopo no. Quando gli anni si accumularono, tornò a quegli oggetti, a fissarli, a ricordare i giorni con lui e con l'altro fratello.

Dopo i sessanta, lui che pareva di ferro, che recitava la parte dell'uomo di ferro, mollò la maschera. Giorno dopo giorno perse durezza, si lasciò andare, evitò l'autocontrollo gelido, corredato di sarcasmo che aveva sempre ostentato. Stava tornando se stesso, quello del tempo lontano, quando cresceva ai ferri corti con la vita assieme ai fratelli. Allora non vi era nulla da recitare o da fingere. Soprattutto non conveniva. Conveniva schivare i colpi peggiori, mettere assieme tre pasti al giorno e non farsi troppo male.

Dopo una certa età si torna onesti. I giorni si disfano veloci. Come i soffioni sui pascoli sono preda del vento, diventano granelli di polvere. Il vento li porta via, li spinge lontano, da qualche parte, non si troveranno più. Nulla di ciò che è passato si ritrova, tranne il dolore. Quello resta presente anche dopo anni. Meglio allora, che il vento porti memorie di giorni buoni, onesti, vissuti al naturale passo del corpo e dell'anima. Ciascuno muore triste, stanco di se stesso, schiacciato dalla paura dell'età, della malattia, oppresso dal dolore di rimorsi e rimpianti. Tutti muoiono male, anche i santi. Tutti vivono male perché hanno qualcosa che pesa dentro, che fa piegare testa e gambe alla resa dei conti. Nemmeno i bambini, nemmeno i giovani si salvano da questa condanna fatta di terra e anima, dolori e paure, delusioni e poche speranze. Bisognerebbe migliorare la qualità della morte, non della vita.

Così, in età matura, quell'uomo insoddisfatto tornava ogni tanto nella vecchia casa, in quella stanza, a guardare gli oggetti del fratello morto. Li sentiva vicini, si sentiva vicino a lui, forse s'avvicinava a lui, avvertiva la morte. Non lo sapeva, percepiva queste sensazioni, e basta. Non sapeva che gli restavano sedici anni. Pochi per gli uomini vogliosi di vivere. Non lo sapeva né gli interessava il tempo o la durata. S'apprestava a sfruttare ogni istante, giorno dopo giorno, il più intensamente possibile. Quel che sarebbe successo non lo spaventava. Il futuro lo avrebbe conosciuto quando si sarebbe parato di fronte, attimo per attimo, senza progetti, aspettative o disperazione. La sua unica speranza era un futuro migliore ma, nel caso fosse apparso, quanto sarebbe durato? Ce l'avrebbe fatta a sopportare il destino, reggere la vita, l'età? Che ne sarebbe stato di loro? Temeva la lontananza, spugna che può affievolire o cancellare i sentimenti. Sapeva che probabilmente così non sarebbe andata, quantomeno non a breve termine, forse mai. Li legava qualcosa che andava oltre l'affetto. Era un sogno perduto non ripetibile, nato fuori tempo, una memoria dolce e amara come una sbornia. Forse era l'anello di congiunzione con l'eternità. Chissà se all'altro mondo quelle anime si sarebbero incontrate, rispettate. L'uomo viveva tempi nebulosi, a volte trascinati a spintoni, bilanciati da giorni freschi e limpidi, offuscati solo verso sera. Il pensiero di quello che poteva essere stato e non fu dilatava la tristezza, aumentava la distanza. Gli anni diventavano chilometri, chilometri che divoravano anni.

Per questo intendeva vivere, concedersi attimi a costo di rubare. Voleva prendere per mano le cose che gli si paravano davanti, portarle a camminare con lui. Tutto qui, non chiedeva altro, non pretendeva altro.

Un uomo che vuol campare di suo, vivere in modo naturale, cogliere le occasioni non può essere che un ladro. Si vive a scapito degli altri, si gioisce sottraendo gioie ai nostri simili, si è sereni rubando serenità a chi ci sta accanto. Si campa somministrando dosi di dolore a coloro che si fidano di noi. Non bisognerebbe mai contare sugli altri. È una dipendenza, e ogni dipendenza conduce all'abisso, spinge nel baratro.

Ogni uomo è legato a filo doppio col prossimo: parenti, amici, conoscenti. Deve qualcosa a tutti, a gente che gli ha dato una mano. Sono debiti di riconoscenza, debiti morali. I peggiori sono quelli morali, l'umanità è legata, impastoiata, prigioniera del loro continuo presentare il conto. Sono fili che formano tessuti di coscienze e conoscenze, intrecciano vita e morte, affetti e disgregazioni. Non è possibile strappare un filo senza danneggiare gli altri, fare un buco nel lenzuolo. L'esistenza è l'uomo che dipende dagli altri. Se si ribella e va controcorrente, come i salmoni, a un certo punto lo aspetta l'orso che fa di lui un sol boccone.

I ragazzi stavano ancora crescendo quando alcuni uomini andarono a chiudere la valle con un foglio di cemento. Un immenso foglio di cemento. Erano in tanti, facevano rumore. Le acque dei torrenti incominciarono ad alzarsi una sull'altra, il faggio accanto all'ansa annegò e venne abbattuto. I gracchi restarono in alto, i corvi calarono bassi, le ghiandaie andarono via. Le case sulle rive dei torrenti vennero smontate, rimasero i muri. I mulini e le segherie furono smantellati, il legname lasciato a galleggiare. Era finita, tramontava un tempo che non sarebbe più tornato. La valle rabbrividì, si spaventò, chiuse le braccia per proteggersi. Un senso di abbandono calò dai monti e si posò sui tetti del paese come cenere di vulcani. Era un segnale preciso, accompagnato dalla sensazione che la vita di lì a poco sarebbe cambiata, niente sarebbe più stato come prima.

Alcuni uomini potenti avevano deciso di stravolgere tutto. Agirono coscienti e precisi. L'acqua saliva, avanzava col suo piombo liquido a nascondere le cose del passato, occultare la vita che per secoli aveva pulsato laggiù. Veniva a creare l'oblio di quel mondo. L'acqua fu costretta a ubbidire, si fece piegare, piegando a sua volta la natura: il verde della valle non esisteva più. E neanche il bianco dell'inverno, quando la neve la copriva soffocando ogni rumore, e il torrente tossiva infreddolito sotto le lastre di ghiaccio. Non si vedeva più nemmeno la ruggine arcobaleno degli autunni, quando l'aria portava in basso i canti dei boscaioli provenienti dai costoni pieni di vento. I colori volarono via. Laggiù sulle rive, era scomparsa la primavera, con le sue gemme pulsanti come piccoli cuori e i teneri germogli occhieggianti. Gli alberi non stiracchiavano più le braccia, sbadigliando prima di mettere foglie e rendere la valle un tripudio di verde. Laggiù era scomparso tutto. Tutto fu sepolto da quel mare cupo, scuro, inquietante. Venne ottobre.

I ragazzi erano scesi dalle malghe. Era tempo di studio ma loro non avevano alcuna voglia di chinarsi sui banchi. Loro erano caprioli, mal sopportavano costrizioni e luoghi chiusi. E poi era una scuola nuova, sconosciuta, in un paese in cui erano stati forse tre volte. Un paese che di lì a qualche giorno non avrebbero più visto, piallato via dalla faccia della terra con tutti gli abitanti. Un paese cancellato, al suo posto ne é sorto uno anonimo di cemento, brutto e senza vita.

Una notte d'ottobre, mentre il cielo splendeva di stelle e la luna faceva il suo giro a controllare monti e boschi e il paese dormiva, capitò la fine del mondo. Una montagna scivolò schiantandosi nell'acqua contenuta dal foglio di cemento. L'acqua, che riempiva la valle, saltò come latte sul fuoco, uscì e si mise a correre per i paesi spazzandoli via e provocando duemila morti. Coloro che salvarono la pelle si misero a piangere e gridare "bastardi" a quelli che avevano innalzato il foglio di cemento. Ma intanto il danno era fatto, la tragedia compiuta, la traccia maligna incisa per sempre. La valle, il paese, i costoni, i prati non furono mai più gli stessi. Neanche gli uomini furono gli stessi. L'antica terra, fatta di usi, costumi, tradizioni, cultura, l'essenza stessa del vivere venne cancellata in tre secondi.

L'indomani spuntarono facce di terrore, s'alzarono grida, intorno c'era un paesaggio d'argilla, ossa scarnificate, colli disossati, boschi cancellati, cadaveri. E un colore nero di morte lungo la valle. Si incrociavano sguardi agghiacciati, tetti divelti, rovine e macerie. Tra i miasmi di morte qualcuno domandava: «Dove sono i miei?». Quella mattina capirono che era morta una valle, cancellata coi paesi e la gente che teneva stretti nel suo abbraccio millenario. Era morto tutto. Dolore di un autunno da non dimenticare. In alto i boschi s'incendiavano di colori, si spogliavano di foglie dolcemente, come se nulla fosse accaduto. In basso erano stati straziati dalla violenza del cataclisma. I bambini non giocavano più accanto al ruscello coi barattoli di latta da colpire a sassate.

Era un paesaggio senza pelle né carne. Sguardi annientati abbaiavano dolore, un rumore di coleotteri d'acciaio che venivano a vedere senza posarsi. Avevano paura. Restavano in aria per paura di vedere da vicino quel che l'uomo aveva combinato. Era un paesaggio morto di morte programmata, case piallate, tetti sfondati, gente fatta a pezzi, triturata. Era il volto sfigurato di un mondo ormai distrutto. La notte dopo la tragedia, accanto ai falò, i superstiti guardarono la luna ululando il dolore che li annientava.

Nelle notti seguenti le stelle sparsero pietà sui poveri resti e il silenzio dei tempi antichi tornò a posarsi sul paese fantasma, sulla valle ferita. La sua memoria era anche quella: quella di un ragazzo che aveva visto disfarsi il terreno sul quale era cresciuto, assieme al mondo arcaico e chiuso di quei monti protettivi. La desolazione invase il paese, la sua casa. La morte costruita rubò i suoi amici, i compagni di scuola, i vicini di contrada. Tutto era finito.

Un elicottero si posò sul bordo di un colle, dove c'era ancora l'erba verde. Caricò i ragazzi e li portò in volo nel paese vicino. Nel paese regnava il caos. I fratelli scampati alla morte ronzavano in quel caos, sorpresi di essere per la prima volta al centro dell'attenzione del mondo, avere scarpe che non fossero di legno, mangiare a sazietà quel che volevano. Era una pacchia e come tutte le pacchie finì. In seguito ebbero tempo per piangere, sognare il paese perduto, le corse nei boschi, le salite alle cime, i pascoli, le malghe e le giovenche, che conoscevano una per una. Non c'era più nulla. Alle porte dell'inverno, una lunga notte di sconforto stava calando sui paesi colpiti dalla morte, sui cuori lacerati dal dolore. La folle corsa dell'acqua aveva triturato e spazzato via ogni albero, spento ogni vita, ucciso duemila persone. Nel cielo ormai terso migravano gli uccelli, comparivano in formazione con grida affilate come rasoi, tagliavano la tela dell'aria e andavano lontano da quei luoghi di morte. Le case abbandonate si preparavano a marcire addormentate sotto la coltre pesante del tempo e degli inverni. Quel mondo se ne andò in caduta libera, lasciando alla dimenticanza più totale quello che era stato il loro paradiso terrestre. Attorno ai morti mai ritrovati aumentava l'oblio, sulle fosse dimenticate cresceva il muschio, le erbe selvatiche trionfavano, nascondendo la storia. Il sole di quella gente, rimasta a guardare, svaniva sotto il ghiaccio della memoria perduta, volutamente lasciata andare verso il tramonto.

I ragazzi furono presi, separati, portati via, seminati in città diverse. Avrebbero voluto restare uniti come un tempo, come grani di un rosario. Ma la famiglia non c'era più, il paese nemmeno. Le vecchie all'ospizio iniziarono a morire, il padre era sempre più allo sbando. Tre pulcini senza chioccia guardarono avanti smarriti, accettarono quel che era, e quel che sarebbe successo. Capitarono tempi di reclusione, galera e penitenza, cose affatto trascurabili.

Quei ragazzi erano abituati a ben altro che la clausura in cui furono gettati. Rinchiusi in un collegio di preti Salesiani, costretti all'ordine e alla disciplina, i due più grandi rimasero attoniti e muti per quattro anni. Non parlavano più, non c'era niente da dire, se non attendere la libertà. Il maggiore leggeva libri, unico svago nella solitudine di quel luogo. Leggere era un buon metodo per ottundere giorni di malinconia e notti insonni. Pensava continuamente al paese, ai boschi, alle corse sui monti, agli affetti perduti, agli animali domestici. Fino ad allora, quando gli uomini non fecero cadere la montagna nell'acqua che avevano ammassato la loro casa fu piena di animali. Dentro quelle antiche mura annerite di fuliggine stavano più animali che persone. Spesso gli animali avevano il cuore migliore degli uomini. I ragazzi avevano allevato caprioli, camosci, corvi, uccelli, cani, gatti, persino una volpe. Vivevano in mezzo ad amici con le ali e amici a quattro zampe. Stavano in perfetta simbiosi.

Ora, nel tetro edificio, tra mura pesanti e cupe come piombo, in quel collegio dall'aspetto carcerario, non vi era nulla di tutto quel che avevano avuto, visto e vissuto prima. Certo, erano scampati alla morte, mangiavano e bevevano, erano vestiti bene, avevano le scarpe. Ma avrebbero barattato volentieri tutto questo per tornare lassù, sui loro amati picchi rocciosi diventati evanescenti e lontani.

Che s'aspettavano da quel luogo, chiuso, in quella spirale di noia? Niente. Nell'anima era tramontato il sogno, la favola aveva fatto puff, il loro cuore ghiacciava di tristezza. Nel paesaggio grigio che li circondava, di notte fiorivano visioni, personaggi cari, affascinanti, luoghi, situazioni, vite ormai perdute per sempre. I ragazzi annegavano giorno dopo giorno nella paura di non vedere più il loro paese, nell'angoscia di non riavere la vita selvatica di un tempo. Il maggiore patì oltremodo quella prigionia e mai perdonò al padre sciagurato di averlo ficcato là dentro. Sapeva benissimo, il ragazzo, lo sentiva sulla pelle che non fu per farli studiare bensì per liberarsi di loro, che il padre li aveva segregati in collegio.

Tirarono avanti nonostante discipline assurde e costrizioni, imparavano l'educazione, a usare l'italiano, e si adattavano a un comportamento civile. Non impararono invece, perché fu loro nascosto, che la vita non era tutta preghiere, messe e catechismi, ma c'era anche altro. Un altro a volte bello a volte feroce, in ogni caso da conoscere, quindi spiegato da chi di dovere.

Pareva si volesse a tutti i costi impedire ai ragazzi di affacciarsi alla vita, soffocare i loro primi impulsi sessuali, le prime avvisaglie erotiche. Già a casa era tutto proibito. Se si grattavano sotto le cosce per un semplice prurito, le vecchie bigotte, che in gioventù ne avevano combinate di ogni colore, bacchettavano le mani ai ragazzi dicendo che stavano toccando le porcherie. Da quella nonna e quella zia i ragazzi non avevano imparato nulla. Solo andare a messa, ma sapevano dove trovare i maestri giusti. Furono cialtroni e cialtrone a educarli al sesso. Donne e uomini senza scrupoli insegnarono loro come si fa. Con gli uomini si abituarono alla manualità del gesto, dopo, le donne insegnarono il sesso offrendo i loro corpi. Donne molto più grandi di loro. Invece i preti restarono zitti, dissero impacciati che erano cose da non fare nel modo più assoluto e basta. Da lasciar perdere. Chissà se loro lasciavano perdere. Insegnarono ai ragazzi i dieci comandamenti che già conoscevano. E altre faccende che ignoravano.

Nel periodo di reclusione, il maggiore lesse parecchio. Volumi, riviste, fumetti, libri di ogni genere e dimensione che i preti gli mettevano in fila sotto il naso uno dopo l'altro. La biblioteca era speciale, fornitissima, unica. Il ragazzo leggeva divorando tutto, onnivoro di letteratura in un mondo di libri. Si innamorò presto del Don Chisciotte. Ebbe maestri importanti. Due preti anziani, plurilaureati, gli insegnarono a scrivere. A usare le parole come pallottole, capaci di andare a segno invece di vagare qua e là, a casaccio. Gli imposero, e mai costrizione fu così giusta, di comporre periodi brevi, non più lunghi di una riga, massimo due. Lo esortarono a esprimere un concetto col minor dispendio di parole possibile. In seguito il ragazzo capì. Uno di questi preti stravedeva per Čechov, scrittore avaro di parole, scansatore di superfluo come nessuno. Oltre all'eredità genetica della madre, assidua lettrice, fu tra quelle mura che il ragazzo consolidò la passione per i libri e la scrittura.

Programmare i giorni a lungo termine è impegno patetico per non dire incauto e sciocco. Non sono i giorni a essere imprevedibili, quelli vengono e passano uno dopo l'altro, cadono dall'alto come gocce stanche da grondaie arrugginite. Imprevedibili sono i fatti che essi portano con sé. Raramente buoni, allegri, cose felici. La consunzione dell'esistere lavora contro la gioia, usa pazienza e metodo, alla fine guasta ogni volta quel po' di bello che a tutti è dato sfiorare. Il ragazzo lo aveva capito presto, non faceva progetti, aspettava. Quel che non sapeva ancora era che quegli anni di torture e disciplina ferrea gli sarebbero serviti. Spesso si ribellava agli ordini, allora veniva punito, preso a sberle e calci, escluso dal cinema domenicale. Una delle punizioni era infatti vietargli il cinema alla domenica e mandarlo con altri a raccogliere cartacce e rifiuti nei vasti e malinconici cortili dell'oratorio.

Solo più tardi, quando il tempo di formazione fu lontano e la neve dell'oblio stava coprendo tutto, si mise a ricordare. Lo faceva in fretta, scriveva veloce per paura di non fare in tempo. Voleva lasciare memoria di qualcosa, testimonianza di un vissuto che forse non interessava a nessuno. Lo faceva per salvarsi, uscire dall'inferno. Quando scriveva stava bene, non pensava agli inciampi della vita, alle sottrazioni dolorose, alle rinunce da fare per non colpire altri. Lassù al paese, sul margine del bosco un faggio secolare stava morendo, la linfa rallentava, si fermava. Ma ogni anno metteva foglie prima degli altri alberi. Voleva richiamare l'attenzione, esprimere le sue ragioni, farsi capire un'ultima volta, raccontare quel che aveva visto, prima di non fiorire più.

Così fece quell'uomo ombroso: scrisse per non essere schiacciato, lasciar uscire l'uomo che nascondeva, non quello che sempre recitò di essere. Nel buio segreto della vita fu un tantino migliore. Non troppo ma un tantino sì. Questo voleva dirlo, soprattutto ai suoi figli, per non crepare frainteso, lasciare un brutto ricordo, deludere fino in ultima coloro che non l'avevano conosciuto a fondo. Non è necessario conoscere gli altri, ma non si vive senza provare a capire se stessi. Riuscirci sarebbe una conquista. Lui a volte non sapeva nemmeno chi fosse o che cosa volesse dalla vita. Così, quell'uomo complicato e torto provò a rivelarsi almeno nei libri, convinto che morire frainteso fosse una delle condanne peggiori. Non sempre di se stessi si lascia un buon ricordo, lasciarlo onesto per lui era un dovere. Ma i suoi tentativi e i suoi sforzi furono vani. Si accorse che si scrive, si ama, si mangia e si beve solo per se stessi, il resto non esiste. Tutto è niente e il niente non salva nessuno. L'individuo è solo e da solo si condanna o si assolve, si detesta o si piace, si esalta o s'abbatte.

Anno dopo anno finì la prigionia del collegio. I ragazzi, col fuoco negli occhi, tornarono agli amati monti, decisi a non lasciarli più. Abbracciarono il fratellino, recuperato da un orfanotrofio in una città marina. Erano di nuovo assieme, pronti ad affrontare l'incognita non richiesta chiamata vita. Non vi fu gioia più grande nell'animo dei ragazzi che quella di essere di nuovo al paese, accendere il camino nella vecchia casa, scorrazzare per i monti. Tornarono, ma i vecchi non c'erano più.

Quando lui era triste, lei lo ascoltava con maggior attenzione. Qualche volta lo sentì raccontare la storia del ritorno. Tornarono dopo molti anni, e trovarono il paese abbandonato, le case distrutte dall'acqua alzatasi in piedi e caduta sulla gente. Molte frazioni non c'erano più, molte persone non c'erano più. Laggiù, nel catino di pascoli e boschi sradicati dall'onda, stava ancora dell'acqua. Sopra l'acqua morta galleggiavano i ricordi dell'infanzia. Il torrente non cantava più, non c'erano più i battiferro, i mulini, le segherie, né la grande ansa quieta dove un tempo le donne lavavano i panni. Li stendevano sulle pietre levigate dall'acqua che nel tempo le aveva rese lucide, pulite, brillanti come volti di bimbi. Adesso le pietre erano scomparse, spazzate via, sepolte lontano chissà dove. Era triste quel luogo sfregiato dalla falciatura dell'onda, modificato, deturpato, scomposto. Non esisteva il passato se non nella memoria. La valle era muta, vuota, cambiata. Responsabili e non, se l'erano data a gambe. I ragazzi capirono. Lo intuirono quando guardarono giù, verso il fondo. Era sparito tutto. Anche quella gola piena d'acqua mugghiante, dove una notte lontana, la madre voleva annegarli assieme a lei. Meglio così, quella pozza d'acqua che aspettava i morti non era un bel ricordo. I ragazzi, quei tre ragazzi ormai cresciuti, spiavano la valle. La loro valle non c'era più.

Allora alzarono lo sguardo, lo puntarono sui monti. S'accorsero che stavano ancora là, solitari e lontani, intatti e belli come allora, come se non fosse accaduto nulla, come se non fosse passato tanto tempo. Da quel momento decisero di guardare avanti, tenere sempre la testa alta. Seppero che occorreva dimenticare, partire da lì, da quello che era rimasto gettandosi alle spalle ciò che era successo. Il dramma di un'esistenza infelice non doveva pesare ancora su di loro. Volevano tentare, erano pronti a ripartire lasciando i ricordi sotto la neve. Ma ogni anno a primavera tornava il disgelo e le memorie di quel che era stato facevano capolino.

Quella primavera uno dei tre ragazzi, il secondo,

non volle più restare. Ne aveva abbastanza delle talpe che al disgelo comparivano a mordergli l'anima. Se ne andò all'estero per dimenticare, migliorare la vita, avere un po' di soldi, un vestito decente. Era uno che voleva la rivincita. Partì con le lacrime, qualche speranza e la valigia. S'avventurò da solo e non tornò.

Lo riportarono nella cassa, era morto in una piscina. Aveva diciassette anni e mezzo. Il maggiore ricordò tutta la vita l'ultimo abbraccio prima che partisse. Partì da solo e morì da solo, senza nessuno accanto, senza l'aria. Senza l'aria dei suoi monti. Nessuno lo tirò fuori da quella piscina. Forse avrà allungato un braccio, chiesto qualcosa, invocato aiuto. Non ci furono mani a salvarlo. Le sue tribolazioni terminavano lì, erano finite. Partì con occhi aperti sulla vita, tornò con occhi spenti sul mondo e sulle cose.

Il maggiore non sopportava immaginare quella morte, ma essa tornò per anni, giorno dopo giorno, a fargli immaginare la scena. Allora, per darsi sollievo, amava pensare che prima di morire avesse visto ancora una volta il suo paese, le sue montagne, i suoi cari. Lo seppellirono i primi giorni di luglio, la data esatta non è importante. Adesso restavano due. Il gruppo ormai era spaccato, disunito, mutilato, il numero perfetto diviso per sempre. Fu dura andare avanti senza il fratello. Il maggiore aveva diciotto anni e spalle buone per reggere i colpi. Era stato allenato a sopportare. Assieme agli altri. Il più piccolo di anni ne aveva dodici. Reggeva gli urti pure lui, ma a quello della morte tremò come un fiore sotto la grandine.

Da quel momento tutto cambiò, la vita prese una strada diversa. I due ragazzi, rimasti i soli di quella famiglia sciagurata, cercarono di organizzarsi, metter le mani avanti per non sbattere il muso e fracassarsi il naso. Il fratello più grande e il più piccolo erano fortunati a essere ancora vivi, quello di mezzo aveva tolto il disturbo. Il maggiore lavorava da alcuni mesi come manovale in un cantiere edile. Tornava a casa al sabato sera, ed era fin troppo. Mettere piede tra muri di ricordi infami non gli piaceva.

Nel frattempo, quella del camioncino rosso era tornata a casa e s'era messa di nuovo col marito, per fare ancora risse, prendere ancora botte, non andare d'accordo, rendere agli altri la vita un inferno. Il maggiore non volle più stare nella casa dei ricordi. I vecchi erano morti, al loro posto era tornata lei, la signora che voleva annegarli nella pozza del torrente, che li aveva abbandonati, che s'era tenuta sempre lontana anche quando era vicina.

Non sopportava sua madre. Di quella donna altera e assente non ricordava una carezza, una frase buona, un gesto gentile. Spesso la sentì dire che se fosse crepato lui sarebbe stato meglio. Non s'illudeva, né s'era mai illuso di sostituirlo. Si nasce fortunati o sventurati, belli o brutti, amati o non amati. Nel bene e nel male, si cresce con ferite e dolori. Le ferite dei non amati sono le peggiori: lasciano tracce profonde. Solchi amari che disturbano l'esistenza fino all'ultimo passo, quando si chiudono gli occhi sul calderone infernale del mondo.

Lui voleva chiudere con uno sputo la vita. Deluso fino alla morte per non essere stato bambino. Per non aver ricevuto quel che di norma si deve a un bambino. Un ragazzino dovrebbe avere riferimenti sicuri, persone di fiducia cui aggrapparsi, genitori a modo dai quali ricevere tracce, solchi sui quali posare i piedi per i futuri passi della vita. Non legnate, fame e assenze.

Aveva avuto in sorte un padre che picchiava, menava le mani spesso e volentieri. Era un uomo violento e ignorante, rozzo e cattivo. E non fece mai nulla per migliorarsi, correggere i suoi difetti. Sarebbe bastato poco, ma non volle mai abdicare al suo credersi dio, alla ferocia, alla bieca ignoranza.

L'uomo raccontava tutto questo. Dopo tanti anni, circondata dalla penombra, spiata da occhi scavati nei tronchi, a volte interrogata da un bambino, lei ricorda ogni parola, ogni passo, ogni racconto. Sopportò quell'uomo e riuscì a modificare buona parte del suo carattere impulsivo. Il sole di momenti felici maturò quelle anime inacidite dalla vita, scontrose e ribelli. Pian piano, abbandonarono le giornate malinconiche, gettando nei torrenti tristezze, delusioni. Che le correnti le trascinassero lontano, fuori da loro una buona volta. L'acqua le portò via, come le foglie d'autunno. Gli anni trascorsi in dolori e incertezze si potevano riscattare nei sogni. Realizzare le cose in barba a qualsiasi destino, anche il più avverso e cinico. Sognare a occhi aperti non costava nulla e nessuno poteva impedirglielo. Nessuno può impedire a nessuno di sognare.

Dopo la morte del fratello, a pochi giorni dal funerale salì in quota, e si piazzò in alto a cavare blocchi di marmo dalle viscere della montagna. Era finito ai lavori forzati.

Spaccare sassi con la mazza quindici ore al giorno non lo gratificava, ma almeno era tra i monti, insostituibili compagni di vita. Soprattutto stava distante dalla donna che non aveva fatto altro che partorirlo e metterlo in disparte. Lassù era fuori tiro da tutti, anche dall'energumeno che sbraitava, picchiava per un nonnulla, padre senza cuore e marito senza palle di una donna senz'anima.

Ora il ragazzo era maggiorenne e decise che gente così era meglio evitarla. Se non lo faceva scoppiavano scintille, liti, sortivano epiteti, il vecchio alzava le mani, minacciava, prendeva coltelli, fucili. Non aveva coraggio, per questo era ben armato. Una volta tirò una coltellata al figlio. Il ragazzo la parò con la mano, rimediando cinque punti di sutura su ogni dito. Cinque per cinque venticinque, poteva bastare. All'ultima rissa, all'ennesima violenza, il giovane si era opposto, aveva reagito rendendo al padre il destro ricevuto.

Ma così non poteva andare, doveva trovarsi una casa, vivere da solo, lontano da quella genia, stare in pace, vedersela con un futuro possibilmente senza troppi inciampi. Sul monte di marmo, lavorando come forzato della Cayenna, passò le stagioni più belle degli anni giovanili. Era adulto, temprato da diciotto primavere con relativi inverni, estati e autunni. Ma adesso lavorava, prendeva la paga, era autonomo, libero, senza l'incubo di quei genitori. I conti tornavano. L'unico neo restava la casa. Ne affittò una piena di ragnatele. Che non pulì. Lassù, sotto le montagne, dicono che i ragni portino fortuna, nello specifico, soldi. Quei ragni quindi andavano bene, e fu un buon inizio. Stare in mezzo ai ragni era meglio che vivere con genitori falliti.

Per questo il giovane era partito. Lanciato nel futuro dell'esistenza, non temeva l'ignoto anzi, in quel momento ne era assai incuriosito. C'erano tante cose da scoprire, sperimentare, verificare. Cose solamente sentite dire e che ora toccava conoscere di persona, palparle, farle scorrere sulla pelle. Non si fidava degli adulti, soprattutto di quelli che la sapevano lunga. Aveva capito che i grandi sono spesso moralisti, bacchettoni e sentenziosi e, di solito, sconsigliano ai giovani quello che loro hanno fatto a iosa e con gusto. O quello che non son riusciti a fare.

L'anno prima aveva scoperto com'era piacevole stare sopra, o sotto, il corpo nudo di una donna. A iniziarlo fu una signora di stalla, contadina, boscaiola, pastora, ventun anni più vecchia di lui. Fianchi larghi, tette piccole, spalle forti e culo in fuori. In pratica saltò addosso al ragazzo mentre le vacche ruminavano pacifiche senza badarci. Se non fu uno stupro poco ci mancò. La pastora aveva forza e sguardo magnetico, quello che voleva se lo prendeva, uomini compresi. Il ragazzo, impreparato, scoprì sotto quel corpo pesante di matrona i misteri complicati del sesso. Conosceva la voce del vento, dei torrenti, il sibilo del fuoco nel camino, il crepitio della neve, le stagioni. Ma delle donne poco e niente. Era giovane, conosceva nome e cognome della vita, non la vita. Per quella ci sarebbe stato tempo.

Sul monte di marmo pensava al fratello. Soprattutto nel primo periodo, il più difficile. Poi, piano piano, il ricordo sbiadì, affondò nella pigra lentezza dei giorni, e poi in quella degli anni, fino a smarrirsi nel caos della vita che avanzava proponendo ostacoli e problemi di ogni genere. L'esistenza non era per niente da ridere, e non lasciava spazio alla memoria dei morti. Però ogni tanto qua e là, nei brevi segmenti di pensieri quieti, in mezzo al crollo dei sogni, il ricordo del fratello tornava a farsi vivo. Quel volto gli appariva davanti, lo sguardo dolce e buono sotto i capelli scuri, gli occhi velati di malinconia, la muta domanda dei tempi lontani: "Che ne sarà di noi?". Il maggiore sapeva che ne era stato di lui. Non aveva invece la più pallida idea di quel che sarebbe stato il suo futuro, la sua vita. Lo avesse soltanto immaginato forse l'avrebbe accorciata prima, fritta anzitempo, conclusa. Forse anche no, era uno che teneva botta, aveva entusiasmo, sperava. Comunque, fece di tutto per dissiparla, rovinarla, buttarla alle ortiche. Il fratello era morto, sepolto nel silenzio dei dimenticati, dei passati via.

Sul monte di marmo la fatica spaccava le ossa, ma almeno i dannati di pietra facevano vita all'aria aperta, c'era amicizia, rispetto, senso del dovere. Il giovane provava l'inappagabile sensazione di avercela fatta, di vedersela solo con se stesso, guadagnarsi il pane e campare onestamente. Ormai faceva parte della nobile categoria dei manovali e ne andava fiero. In quel periodo imparò molte cose. Su tutte, la grande esperienza dei vecchi cavatori, che gli insegnarono con umiltà e metodo l'arte di squadrare la pietra. Maneggiare blocchi da cento quintali, arcigni, deformi, ostili, spostarli, voltarli, renderli parallelepipedi perfetti a colpi di scalpello e mazzuolo esigeva pazienza e calma assoluta. Il giovane imparò entrambe le cose e altre ancor più importanti per non friggere nel calderone bollente chiamato mondo.

Quei preziosi insegnamenti, cercò di applicarli nella vita, non solo sui blocchi di marmo. Lungo il cammino pieno di inciampi a volte si smarrì, tirò cornate come un torello. Non perdere calma e pazienza è la prima cosa cui un uomo dovrebbe tendere. Il resto viene da sé. Sul monte di marmo quattro volte rischiò la pelle tra gli ingranaggi diabolici della cava. Tre se la cavò per fortuna, una per destrezza. Forse rimase in piedi perché non era ancora tempo di crepare. Doveva restare in questo mondo a pagare il prezzo che tutti pagano percorrendo buona parte del sentiero. Di certo non aveva missioni da compiere.

Aveva rimorsi, quelli sì, anche se sbandierava di non averne. Nel cielo opaco della memoria, brillavano gesti senza appello, atti che lo annientavano, azioni per le quali ancora arrossiva nonostante fosse trascorso tanto tempo. Vedeva errori senza possibilità di rimedio, gesti brutali mai dimenticati.

Su quel marmo gli operai morivano di fatica, gli occhi arrossati di polvere, da sembrare gufi. In quella bolgia infernale, quattordici uomini e quattro ragazzi, impolverati e assordati dalle perforatrici, a fine giornata parevano statue di marmo. Dannati di pietra, senza pace, sempre in movimento, sempre bianchi di polvere. I più vecchi mettevano un fiasco di vino sulla panca, vicino al fuoco, e iniziavano a raccontare storie. Ogni tanto bevevano un goccio, qualcuno fumava, altri dormivano vinti dalla stanchezza. Erano in diciotto.

L'esperienza lungo le stagioni ai lavori forzati lo resero uomo del tutto. Nelle sere d'autunno la stufa andava al massimo facendo muovere ombre sui muri. Il freddo bussava alla porta, i cavatori, corrosi di fatica, pensavano al Natale. Intanto invocavano la neve. La bianca falena finalmente arrivava, li cercava, li spingeva a casa. Lo faceva dolcemente, senza urti. Quegli uomini induriti e stanchi la guardavano cadere. Cresceva lentamente, copriva tutto il mondo. Le montagne erano nascoste da un cielo di latte, l'aria sussurrava leggende. Alitava sulla valle la malinconia. Il mistero avvolgeva uomini e cose. Presi dalla nostalgia, i cavatori evocavano ricordi. L'inverno era dietro i costoni, premeva mansueto, per metter fuori il naso ghiacciato. Nella baracca le voci si spegnevano adagio, una dopo l'altra. La stufa moriva e tutto si ovattava nel misterioso silenzio notturno. Poi, d'improvviso, la neve cadeva sui boschi, sui monti, sui pascoli. Ogni tanto un cavatore usciva dalla baracca col fanale in mano. I fiocchi lo avvolgevano, gli turbinavano intorno, lo imbiancavano. Sul fanale, quelle impalpabili farfalline bianche, scioglievano la loro essenza di nulla e sparivano. Come la vita delle persone. L'uomo alzava il fanale, controllava l'altezza. A mezzo metro dovevano partire. Anche in piena notte, illuminando la traccia con le lampade. C'erano in giro valanghe che leccavano gli uomini raspandoli via con le loro lingue bianche. Alcuni anni prima un cavatore era stato travolto. Lo trovarono più in basso, morto. Un uomo forte, buono e silenzioso, era sparito dentro il soffio gelido della valanga.

Un giorno gli consegnarono una cartolina. Doveva partire per la naia. "A servire la patria" dissero. Calò dalla bolgia dei dannati con le ginocchia molli e un peso al cuore. Non voleva allontanarsi ancora dai suoi monti. Soprattutto non voleva assoggettarsi a comandi, imposizioni e ordini impartiti da sconosciuti. O dal primo caporale in vena di rompere i coglioni. Capitò proprio così. La naia fu una lunga rottura di coglioni, durata sedici mesi. Scontò trentadue giorni di galera. Giorni di punizione collezionati verso la fine del servizio da passare in cella di rigore, sul tavolaccio di legno, giorno e notte. E, peggio ancora, da scontare a fine naia. Per le sue ribellioni e intemperanze, si fece un mese e un giorno in più. Era nel corpo degli alpini.

In seguito non volle più saperne del cappello. E nemmeno partecipò alle adunate oceaniche che si tengono ogni anno. Ma fu sempre orgoglioso di aver fatto l'alpino. Sotto le armi cercò di far passare il tempo impegnandosi. Partecipava a competizioni di sci. Sci di fondo. Assieme a una decina di commilitoni, vincevano qualche gara. In questo modo, otteneva doppie razioni di cibo, compreso un litro di latte che regolarmente cedeva agli altri. L'avrebbe bevuto volentieri, ma l'etica alpina richiedeva vino, non latte. E a quella s'adattò. Furono memorabili le bevute di naia, alcune per poco non gli costarono la vita. Sognava le montagne, le arrampicate.

In estate un ufficiale lo portò in parete. Vide che saliva su bene, perciò lo legò alla sua corda. Arrampicarono assieme, diventarono amici. Andavano a scalare, il ragazzo s'alzava veloce sugli appigli. L'ufficiale seguiva contento. Alla sera tornavano giù, cercavano un'osteria. Il giovane alpino si sbronzava, l'ufficiale lo puniva. Stranezze della riconoscenza, dell'amicizia. Diceva che voleva aiutarlo, intanto lo sbatteva in cella di rigore. Forse voleva aiutarlo sul serio. Non aveva capito che più gli comminava galera meno il ragazzo cedeva, meno si ravvedeva, meno metteva la testa a posto. Era fatto così, ci voleva dolcezza, quella che non aveva avuto.

Bene o male la naia finì, sarebbe più giusto dire che finì male. Quando partì col congedo infilato nella spallina pensava alle montagne, al lavoro che avrebbe ripreso nella bolgia dei dannati. Finalmente tutto tornava come prima. La vita riprendeva a muoversi come un tempo, come se non ci fosse stata alcuna interruzione. Lungo il viaggio di ritorno si sbronzò, attaccò briga con degli zingari, brillò una lama, per un pelo non lo ammazzarono.

Stracciò il congedo in pezzi, a casa accese un falò, bruciò la divisa. Era finita. La naia l'aveva messa alle spalle come tutto ciò che passa, come tutto quel che era passato sulla sua strada piena d'inciampi.

Non dimenticava. La memoria è capacità artigiana, ci vogliono stagioni di pazienza a ricordare. Pian piano le ferite si ricompongono, ne nascono di nuove. Nevicava sulla vita ma egli andava avanti, giorno dopo giorno, a marcare la ferita dell'esistenza. Dietro di lui, la neve scendeva, guariva il solco, faceva sparire la traccia. Gli scarponi aprivano il varco, dietro, la neve copriva. Si avanza sempre così lungo gli anni, nel corso inesorabile del tempo, fino al termine del cammino.

"Siamo sentieri sotto la neve" gli aveva detto una volta un vecchio scrittore. È vero, l'esistenza degli uomini è un continuo cammino sotto le nevicate. Se non nevica, piove e la pioggia appesantisce la neve come le lacrime appesantiscono il cuore.

Tornò di nuovo ai monti, a spaccar pietre nella bolgia dei dannati, quindici ore al giorno. Tra sassi mastodontici e fatiche disumane, ritrovò il ritmo dei vecchi tempi, il salubre valore della vita all'aria aperta, l'amicizia dei vecchi cavatori. Furono anni formativi ma non tranquilli, come tranquilla non fu l'esistenza. Il giovane era una testa calda, a scaldargliela ci si metteva anche l'alcol.

Lui e i suoi amici, quasi tutti coetanei, si erano dati al bere giovanissimi. Il vino non lo sorbivano come gli intenditori, lo mandavano giù. Serviva a ubriacarsi, allentare i freni inibitori. Lassù, tra fauci di monti, forre, sentieri sospesi nel vuoto, isolamento e chiusura a ogni tipo di contatti, nessuno aveva vita facile. Lassù niente era facile. Gli uomini avevano caratteri spigolosi, ereditavano la genetica di quei posti, assumevano i volti di quelle valli contorte e tenebrose. Crescevano selvatici e schivi, non di rado taciturni, a volte violenti come la natura che li circondava. Per alleggerire quei pesi ogni tanto si concedevano al bicchiere peggiorando quasi sempre la situazione. Solo in qualche caso, peraltro assai raro, l'alcol muoveva a sorrisi e dolcezze. Di solito faceva muovere le mani, mutare la voce in urla, insulti e parolacce. Lui lo sapeva. Crescere in mezzo agli aculei rende cauti, bisogna muoversi piano o si viene graffiati. Mai un movimento brusco, un volo d'entusiasmo, un salto di gioia. Niente di niente. Onde evitare di venir trafitti dalle spine, occorre stare fermi. I rovi frenano la vita, le spine non sono terapeutiche. Non lo furono per Gesù Cristo, figurarsi per milioni di poveri cristi che affollano il pianeta.

Un vantaggio le spine lo producono anche se a prezzo salato: insegnano a guarire evitando dissanguamenti. Poi verrà il tempo, guaritore formidabile, sciamano indiscusso, leccatore di ferite con lingua benevola. Entità che assopisce le cose senza dimenticarle. Si adagiava nel tempo come il bambino nel grembo della madre. Aspettava che il tempo cullasse il dolore, lo carezzasse, lo facesse addormentare. Non capiva coloro che ne perdevano a iosa, convinti di avere due vite. Conosceva gente che buttava via tempo nell'affanno di accumulare soldi, lavorando giorno e notte. Gente che costruiva o comprava case, ville, automobili pur avendo un corpo solo da ficcarci dentro, e una sola vita da consumare. Alcuni erano amici suoi. Spesso, con malcelata invidia, andavano da lui a dirgli che era fortunato a disporre di tempo libero. L'uomo rispondeva in malo modo, gridando a costoro di mandare in malora le ricchezze, regalare tutto a poveri e derelitti, investire in tempo libero visto che, milioni ne avevano come sassi sul torrente. Ma era parlare ai sordi. Allora li mandava a quel paese invitandoli a un esame di coscienza. Alcuni amici facoltosi, arricchitisi dal nulla, lo fecero quando fu troppo tardi. S'ammalarono d'improvviso, e gravemente, rimanendo attoniti e terrorizzati. Non se l'aspettavano. Furono incauti, sprovveduti e ingenui nel maneggiare la propria vita. Si illusero di campare a lungo, non ammalarsi o, comunque, che a loro non sarebbe successo mai nulla, nemmeno un piccolo incidente. E che i malanni calassero solamente sugli altri. Invece le disgrazie capitano, a tutti, inevitabili e devastanti come gli uragani. A quel punto, e solo a quel punto, l'uomo si rende conto di aver buttato via tempo. Allora cerca affannosamente di riguadagnarlo, correre ai ripari, recuperare vita, godersi i giorni rimanenti. Ma è tardi, è inesorabilmente troppo tardi. Morirà con l'angoscia di aver sprecato giorni, sottratto vita alla vita, perduto istanti preziosi, sacrificato al denaro, alla carriera e alle stupidaggini quel bene infinito chiamato tempo libero.

Gli anni giovanili di quel cialtrone, a volte arrogante, non privo di una certa ambizione condita di tenacia, furono un susseguirsi di avventure tragicomiche, spesso al limite della vita. Più in là, quella stessa ambizione pungolata di vanità lo mosse a scrivere alcuni libri nei quali raccontava la sua vita squinternata. Convinto che in letteratura, come in tutti i campi, nulla vi sia di più antipatico e inutile di un'autobiografia, li disdegnò. Però li scrisse. L'ambizione superò l'ostacolo e la doverosa ritrosia, fu messa a parte. Quindi non è il caso di ripetere quello che, non senza una certa pompa, disse di sé, editando i suoi incomparabili esercizi di vanità.

Quando la stagione era buona e il sole faceva bollire le pietre lavorava alla bolgia dei dannati. Nella cattiva stagione bazzicava cantieri, manovale di terza categoria, a raccattar qualche soldo. L'inverno più micidiale lo passò a costruire un ponte di cemento armato, assieme a un pugno di paesani, suoi coetanei. Ballavano di notte in notte su quell'arco di gelo, le mani viola, il naso blu, sottopagati e sfruttati, costretti a orari da galera. Si doveva finire il ponte entro aprile. Lo finirono. L'impresario fu contento, come premio, li licenziò. Ma erano allegri. Avevano vent'anni, giovani, robusti, sani, esuberanti. Non si può essere tristi a vent'anni.

Passò spesso sul ponte dei ricordi. Anche da vecchio vi transitò molte volte. In auto con amici o coi figli, o da solo. Passava e ricordava. I compagni di quella sgangherata squadra erano quasi tutti morti. Ne rimanevano due assai malconci. Quarant'anni prima si trovavano là, sospesi sul torrente ghiacciato che pareva una morsa di ferro, ad armare centine, fissare pannelli, gettare travi. A guadagnarsi il pane. Ogni volta che passava sul ponte, mentalmente faceva i loro nomi. Nomi di amici scomparsi. Gli venivano in mente i primi otto, quelli che sentiva come fratelli. "E gli altri?" si chiedeva. Morti anche loro, "basta nomi o non finisce più" concludeva. A pensarli si spaventava. Una volta fermò l'auto su quell'arco di memoria e gioventù. Aveva sessant'anni ed era con i figli. Non senza un certo orgoglio disse loro che il manufatto sul quale transitavano milioni di auto dirette alle località turistiche, dove d'inverno nevica firmato e d'estate si fanno bagni di fieno a peso d'oro, l'aveva costruito lui, coi suoi amici, quarant'anni prima. Parlò a testa bassa, guardando giù, verso il torrente, che scorreva cantando, e come allora, faceva ancora quella curva, non era invecchiato.

L'uomo spiava l'acqua che passava, vide i compagni di lavoro, la baracca, i ponteggi. Vide i suoi vent'anni laggiù, sul pelo dell'acqua, leggeri e incauti. Li vide filare veloci sulla corrente, sparire dietro la pietrosa ansa della vita e non tornare mai più. Spuntò una lacrima, una soltanto, da tempo le teneva dentro. I figli spazientiti lo esortarono a muoversi, non gliene fregava nulla di quel ponte, forse nemmeno della storia, né di coloro che l'avevano vissuta. In fondo chi erano costoro? Nessuno. Perfetti sconosciuti che non contavano nelle vite moderne e computerizzate dei suoi figli.

L'uomo saltò in macchina e non parlò più. È inutile cercare di passare ai giovani emozioni che non conoscono, che non hanno vissuto, che non sono loro. Come è inutile tornare ai posti della memoria, luoghi di gioventù dimenticati, malinconici, lasciati cadere dal tempo sulle strade del mondo. È inutile tutto, ma egli passava sul ponte, e ogni tanto si fermava, e guardava giù. Quell'arco di cemento univa due sponde e per lui rappresentò il passaggio da un tipo di esistenza a uno completamente diverso. Fu un ponte simbolico, che cambiò la sua vita. Non è detto che due sponde, vicine o lontane, debbano essere uguali o assomigliarsi. Pochi metri di vuoto a volte separano mondi distanti anni luce uno dall'altro. Mondi divisi, che si vedono soltanto a distanza, si guardano, si scrutano ma non si toccano.

I ponti uniscono separazioni, sono punti di sutura, cuciono strappi, tendono mani a distanza, recuperano ciò che sta dall'altra parte. Da entrambe le parti. Un ponte perciò non dovrebbe mai essere incominciato da un solo lato. È come se una persona dovesse presentarsi a un'altra senza che questa faccia una mossa. Si sentirebbe svantaggiata. I ponti vanno cominciati da entrambe le parti e vanno uniti cementando la stretta di mano a piombo sul vuoto. Esattamente a metà. Allora le sponde sono in pace, perfettamente uguali, giustamente a pari merito. Entrambe han no preso l'iniziativa, si sono unite, ora daranno avvio agli scambi. Metà di qua, metà di là, tanto ciascuno. Sempre. Abbattere un ponte è una delle azioni peggiori che l'uomo possa compiere. Divide, separa di nuovo, isola, ricrea distanze. Lui, il suo ponte lo aveva demolito tante volte. Era una costruzione fragile, bastava un soffio a spazzarlo via. Ma lasciava qualche palo, un'armatura, un filo esile, quel tanto che bastava a ricostruirlo. Intanto seguitava a condurre una vita impervia fatta di cantieri e sbornie, paghe mai risparmiate, scialacquamenti di soldi e salute. Ma sentiva che non era quella la strada.

Vedeva oltre quel ponte un'altra esistenza, un vivere migliore seppur lontano, probabilmente irraggiungibile. Ci provò, il ponte resse e si trovò dall'altra parte. Un ruolo importante nella sua esistenza, seppur distruttivo, lo ebbero le donne. Alcune circolarono attorno alla sua vita, o forse fu lui a far la ruota attorno a loro, il dettaglio non è importante. Vedeva in tutte la madre che lo aveva abbandonato. Vedeva le donne belle, ciniche e spietate e si vendicava. Le maltrattava in ogni modo, ma senza alzare le mani. Faceva loro danni, umiliandole a ogni occasione. Si vendicava della madre. Qualcuna può darsi lo abbia amato davvero ma lui non se ne accorse. Troppo impegnato a fare piazza pulita di quei corpi e di quelle anime. Anime senza colpa, che nulla c'entravano coi suoi problemi esistenziali. Ebbero solo la malaugurata sorte di trovarsi sul sentiero e vennero spazzate via. Quell'essere infelice tirava dritto e spintonava ai lati, senza pietà, chi gli stava di fronte. Alcune si comportarono male ed ebbero paga doppia. Fin dagli anni giovanili imparò a non fidarsi. Fece sua una poesia di Hofmannsthal girandola al femminile. L'amato disse: "Io non ti tengo, nulla tu mi hai giurato. Le donne non bisogna trattenerle, non sono nate per la fedeltà". La poesia recita che gli uomini non sono nati per la fedeltà. Ma lui l'aveva distorta, voltata a suo favore: "Per le tue strade va', amica mia, vediti paese su paese, in molti letti riposati, molti uomini prendi per mano. Dove il vino ti è troppo agro, bevi malvasia, e se la mia bocca ti è più dolce, ritorna allora da me". Teneva a memoria questi versi, ogni tanto li sputava nelle osterie, quando il vino lo rendeva mordace. Facendo ben attenzione a recitarla pro uomini, e non nella versione originale.

Intanto bruciava vita. In fiamme alcoliche arrostiva la sua leggenda di bravate e stupidaggini per niente leggendarie. Era fatto così, voleva esser notato anche se affermava il contrario. Alla fine ci riuscì, attirò l'attenzione su di sé in maniera leale e legale, poi si stufò. Desiderava una cosa finché non la otteneva, poi la buttava dietro le spalle dell'insoddisfazione. Andava avanti, mirando oltre, puntando più alto, nell'incapacità totale di accontentarsi ed essere felice. Faceva parte della sterminata legione di infelici per scelta, vocazione ed eredità genetica. Veniva da una famiglia disgraziata, di maschi violenti, insicuri e beoni, non poteva sottrarsi alla condanna. Era così anche lui. Era così anche per lui, un uomo condannato all'incapacità di essere felice. E di conseguenza, anche di rendere felice qualcuno. Dove passava faceva danno. A sé e agli altri. Non era cattivo, era un timido, l'infanzia miserabile gli colava addosso come piombo fuso. Ma quel dramma personale non era pretesto leale, né buon motivo per fare terra bruciata, piazza pulita di ogni affetto. Invece lo faceva. Lo faceva per non scordare da dove era partito, quel che aveva subito, per non dimenticare quegli anni, non perdonare coloro che gli avevano fatto pesare l'infanzia come giardino crudele pieno di spine. Lo faceva per non scordare quelle vecchie maltrattate, morte in uno squallido ospizio, senza una visita, nemmeno quelle canoniche di Natale e Pasqua. Nemmeno per pietà, la pietà che si deve a deboli e bisognosi, feriti e malati, vecchi ed esseri inermi. La pietà che si deve ai genitori, almeno quella, se non l'affetto. Lo faceva perché era stato maltrattato e ora maltrattava a sua volta.

Passò molti anni così, struggendosi e distruggendo. Sapeva di stare sul sentiero sbagliato, capiva di essere a rischio, stava marciando su una cresta pericolosa, ai lati c'era il vuoto. Bastava un passo falso, un nulla e sarebbe finito nell'abisso. Ebbe fortuna, tanta fortuna. Non scivolò, ma ci andò vicino. Quando pensava alla gioventù, a quel che era stato, a quel che poteva essere, brillavano lampi di paura, inquietudini di notti senza sonno. Ricordi dolorosi e rimorsi acuti lo agitavano come il torrente ingrossato muove i giunchi.

La vita camminava storta, occorreva una svolta, quella decisiva. A quel punto bisognava imprimere la curva di salvamento. Se andava avanti così finiva davvero male. Come minimo rischiava di trovarsi ospite di qualche incidente alcolico, o delle patrie galere. Intendeva smettere l'abito arrabbiato del ribelle, voleva porsi in uno stato d'animo buono, ricettivo, tollerante nei riguardi del prossimo, anche se gli era indigesto. Desiderava dimenticare il passato, togliersi di dosso il piombo della vita.

Voleva, ma non sapeva da che parte cominciare. Alla fine partì. Partì cercando nuova linfa, cavalcando la groppa di mille avventure nelle quali avrebbe deciso lui. Comunque fosse andata, ora soltanto lui disegnava il suo destino. Un giorno dopo l'altro, lo costruiva e lo disfaceva come Penelope la tela. Ricordò l'infanzia e il nonno, quel vecchio alto e taciturno che pronunciava scarse parole lungo le quattro stagioni. Occorreva iniziare da lì, dagli anni lontani, dai tempi delle membra tenere, dove un bambino curioso raccoglieva e metteva da parte ogni traccia di esperienza, ogni insegnamento. Ricordava l'apprendimento dalla A alla Z. Lo aveva custodito al sicuro, messo da parte nel luogo della memoria per quel sano istinto di cautela, la saggia regola del "non si sa mai". Quando viaggiò per conto suo gli tornò utile tutto. Adesso il passato lavorava a suo favore. Anche i patimenti in seguito avrebbero lavorato a suo favore. Per fare il cammino era pronto, si trattava soltanto di mettere in atto le istruzioni, renderle pratiche. In poche parole, usare da lì in avanti quel che aveva imparato fin dai tempi dell'indigenza e del dolore. Il dolore era utile, diventava lasciapassare per varcare ogni porta, salvacondotto per osare, non temere sconfitte, delusioni e paure. Di quelle ne aveva avute abbastanza. E se anche non si era ancora abituato, non le temeva più come gli accadeva da piccolo.

Pur di non indietreggiare, s'affacciò al bordo dell'abisso e guardò il fondo. Vide l'embrione, dove era iniziata la vita. Occorreva recuperare quelle esperienze, quegli insegnamenti, quel passato. Forse stava lì la chiave giusta per aprire la porta, uscire e partire a nuova vita.

Ancora tornò la stagione dei cuculi, apparvero i mesi teneri in cui le gemme bussano alla porta come cuori emozionati e la neve scioglie i fianchi facendo gonfiare il petto ai ruscelli. Ripensò ai boschi, ai tronchi di acero spaccati, candidi come i denti del cane, pronti a diventare cucchiai, mestoli e forchette. Ripensò a quei cucchiai imbronciati, sulla parte convessa dei quali, da bambino, incideva occhi, naso e una bocca all'insù per farli ridere. Osservandoli sorrideva anche lui: era il sistema per crearsi amici fidati, allegri, che ridevano sempre. Lassù gli oggetti di legno ridevano, i boschi ridevano, i monti ridevano. Gli uomini mai.

Un mucchio di ciotole appena tornite era un coro di bocche aperte al canto. Un fastello di forchette scolpite nell'acero faceva grandi risate a denti bianchi. Le gerle invece ridevano solo a toccarle, avevano il solletico, scricchiolavano sorrisi come ghiri nelle tane. Le botti ridevano in silenzio, con bocche larghe e pance in fuori. Anche le galosce di faggio ridevano. Risate cavernose di vecchie sdentate che tiravano tabacco da fiuto. Ma erano pur sempre risate. E i rastrelli dai rebbi di maggiociondolo ridevano? Altroché se ridevano! Coi denti sporgenti in avanti, come certi bambini, e nessuno andava a mettergli l'apparecchio per raddrizzarli. Ridevano così com'erano. Era tutto un'ilarità di cose, a quel tempo, lassù, nella montagna remota, in quei paesi isolati dal mondo. Qualcuno doveva pur ridere. Se non lo facevano gli uomini ci pensava la natura.

Ricordando quei volti, quei suoni, quelle voci, il giovane intuì la strada, capì che se voleva ridere anche lui doveva incontrare di nuovo le sue cose, riabbracciare i vecchi amici d'infanzia.

Una mattina di primavera rovistò nella memoria e poi negli scaffali e sul banco da falegname che giaceva muto in una stanza piena di polvere. Trovò ricordi lontani e attrezzi: sgorbie, scalpelli, raspe, trivelle, mazzuoli. All'alba seguì un nuovo giorno. Il giovane iniziò un sentiero senza sapere dove l'avrebbe portato, ma deciso a percorrerlo fino in fondo. Prese un tronco e ne smembrò la polpa. Lo scarnificò e lo disossò a colpi di sgorbia. Non tanto per scolpire qualcosa, bensì per vederne l'interno, sezionarne le viscere, scoprirlo dentro. Prima d'intraprendere un'azione, era convinto occorresse andare al cuore delle cose, scrutarle in profondità. Fino a sbriciolarne l'essenza per vedere il futuro nei trucioli sparsi a terra, cercare il destino tra le schegge dilaniate dalla lama.

S'accorse che intagliare i tronchi lo tranquillizzava, accentuava quell'entusiasmo che non lo aveva mai abbandonato, nemmeno nei momenti cupi, quando diventava difficile sperare. Mano a mano che toglieva legno, apparivano i cerchi degli anni, il tempo vissuto dalla pianta, la sua carta d'identità, la scatola nera che ne rivelava il passato. Alcuni erano vicini, fini come capelli, segni di stagioni tribolate, magre, assottigliate da inverni rigidi e da primavere crude e belle. Altri, larghi e grossi, sfacciatamente opulenti, rivelavano la mitezza di stagioni favorevoli, dove fame e intemperie non avevano infierito e l'albero ben pasciuto aveva aggiunto un anello alla sua vita tra giorni di sole. Ma erano pochi, nei tronchi, i cerchi larghi. Rari come mirtilli bianchi, apparivano ogni tanto qua e là nel corpo scavato della pianta, a testimoniare che l'esistenza è dura per tutti. Felicità, serenità, allegria appaiono forse qualche attimo, poi la vita stringe i nodi serrando e assottigliando anelli e anni.

Da quel primo tentativo di scultura non cavò granché. Non era quello l'obiettivo, non voleva niente, non cercava forme o risultati. Voleva solo riprendere confidenza col lavoro e le emozioni di legni spaccati e lavorati che avevano accompagnato la sua infanzia. Soprattutto voleva capire se gli piaceva ancora. E altroché se gli piaceva! Le cose imparate da bambini rimangono indelebili e piacciono sempre. Possono dormire per anni ma poi si svegliano, tornano a segnare una via, indicare un percorso, decretare il futuro. E così fu. Il giovane riprese vigore, luce e speranza dalle cose naturali e semplici, dagli elementi del creato: un pezzo di legno, un torrente, una lama di roccia, un fuoco.

La roccia tornò a cercarlo come erano riapparsi i tronchi da modificare con le sgorbie. Ricordò gli anni d'infanzia, quando un vecchio taciturno e un padre snaturato lo portavano sulle cime dei monti per guardare dall'altra parte. Semplicemente per guardare cosa c'era di là. Di là non c'era niente di quel che pensava il bambino. Nulla di favoloso o misterioso, men che meno nuovo. Di là c'erano soltanto altre vette, lame che bucavano il cielo, punte di coltelli rivolte verso l'alto. E nuvole. E in basso, paesi accovacciati ai piedi delle montagne come pulcini sotto la chioccia. Salire sui monti era bello. La fatica premiava l'anima del ragazzo, lo sforzo gli forgiava un cuore sano. Una volta in cima, il vecchio cavava dallo zaino pane, salame e una fiasca di vino. Mangiavano e bevevano, guardando lontano. Dalle vette si può guardare solo lontano. Il giovane tirava qualche sorso e subito gli girava la testa. Salame e pane lo rimettevano in sesto, gli rendevano le forze che il vino toglieva. Rimanevano in vetta fino al calar del sole.

Col padre era diverso. Si trattava sempre di salire sulle schiene delle montagne, ma lo scopo non era panoramico. C'era da andare a caccia per vendere la carne. Quella migliore andava ai clienti, il resto per la famiglia. Gite contemplative col padre, niente. Solo ogni tanto, sempre dopo aver ucciso il camoscio, l'insensibile genitore portava il figlio sulla punta di un monte. Il tempo per fumarsi una sigaretta di trinciato, che arrotolava con maestria, poi dava ordine di tornare giù. C'era altro da fare. Il figlio avrebbe voluto rimanere lassù, a guardare e sperare finché il sole non fosse tramontato, ma non c'era verso.

Il padre aveva detto "via" e via doveva essere. Forse fu proprio in virtù di quelle rinunce forzate che maturò nella testa del ragazzo la volontà di tornarci da solo, un giorno, sulle montagne. Su tutte quelle che desiderava. E nessuno avrebbe dovuto dirgli quando scendere o quando salire.

Ricordava cime incendiate dal sole del mattino, ghiaioni di scaglie argentate nell'ultima luce del tramonto. Visioni in salita, prati ripidi, occhi di mirtilli maturi, labbra viola da gran scorpacciate, e la pazienza di riempire il secchiello da portare ai fratelli più piccoli che attendevano in paese. A volte il padre lo costringeva a dormire sotto un larice per aspettare un camoscio che, come la fortuna, non arrivava mai. All'alba, scuotendo la speranza che ancora dormiva, seguivano il loro cammino. I bracconieri non si fermano mai più di un giorno nello stesso posto.

Ormai il ragazzo s'era fatto uomo. Dopo il periodo di confusione che marchia gli adolescenti a volte rovinandoli per sempre, aveva visto con chiarezza la strada da seguire. L'aveva sbirciata nel caos del presente grazie all'impronta del passato, alla traccia che gli anni lontani avevano lasciato nel suo cuore. Fu per questo che il giovane, una mattina di primavera, si mise a scolpire tronchi. E poi a salire montagne. E poi a prendere in mano un fucile e ammazzare camosci, galli forcelli, cedroni, caprioli e tutto quel che si muoveva. Tornava il bambino che cacciava col padre. Scoprì una strada, la sua, o meglio, quella che gli avevano disegnato. Per il momento era quella. Strada con una luce in fondo, speranza nella quale si riconosceva. Sentiero che lo faceva star bene, lo rendeva sicuro, lo incitava all'azzardo, a muovere passi nuovi dove trovava forza e fiducia in se stesso. Era diventato adulto, anche se adulto lo era stato da piccolo. Ma ora poteva decidere, agire, scegliere, fare o disfare la tela senza che qualche rompicoglioni come suo padre si mettesse di mezzo. Furono anni intensi e folli in cui l'irruenza del gesto, sotto forma di sculture o scalate o battute di caccia, non concedeva spazio a riposo alcuno.

All'imbrunire sentiva il soffio pesante della stanchezza, ma non si arrendeva. Finiva la giornata nelle osterie finché lo cacciavano fuori a ore impensabili a calci nel sedere. Ma era vanitoso, orgoglioso e pieno di sé. Voleva essere il migliore, fare cose che lasciassero il segno, che lo rendessero importante, lo facessero rispettare e additare a esempio. Per questo si buttava in azzardi che spesso lo avvicinavano al salto finale. Creava sculture forzatamente originali nell'invenzione e nell'esecuzione, lavori tanto esagerati da rasentare il ridicolo. A caccia voleva prendere il camoscio più grande, il più bello, l'esemplare insuperabile che nessuno avrebbe mai trovato. A volte ci riusciva ma erano più fallimenti che vittorie. Passò così un bel po' di anni.

Verso la fine dei giorni realizzò che tutta la sua vita era stata un fallimento, ogni sua opera un fiasco. Ogni scalata una perdita di tempo. Convenne con se stesso che le sue imprese artistiche mancavano di valore, ma non era quello il fallimento. Il fallimento era la vita. Il fatto di nascere, tribolare, soffrire e crepare non può essere che fallimento. E se era arrivata qualche gioia o una soddisfazione, sparse qua e là, questo non bilanciava per nulla il mare di patimenti dell'esistenza. Questo lo capì di fronte alla vecchiaia e alla morte. La vecchiaia, un attimo prima di rincoglionire i vanitosi, fa loro aprire gli occhi con schiaffi da ultima beffa. Realizzare che si è stati tutta la vita dei falliti è amaramente umiliante.

Parlava di queste convinzioni severe e immutabili che non davano scampo. Qualcuno diceva di no, che non era vero, qualche valore i suoi lavori lo avevano. Con spietato cinismo, quell'essere infelice tendeva a far paragoni. Conosceva discretamente la letteratura e pure la scultura e le imprese dei grandi alpinisti. Confrontando le sue cose con le immense opere di quei geni si sentiva una nullità. Quando era giovane i paragoni coi maestri lo stimolavano a fare bene, a migliorarsi. Ora, nella famigerata terza età, i confronti lo mettevano dinnanzi alla sua pochezza e non si faceva più illusioni. E nemmeno voleva migliorarsi. Non lo convinceva del contrario neppure qualche giudizio positivo della critica ufficiale. Ormai, niente e nessuno lo convinceva che avesse qualche talento. Nemmeno alcuni premi ricevuti, concessi più per consolazione che altro, più per appagare il suo ego smisurato che per capacità, lo convincevano. L'unica cosa di cui andava fiero erano i figli, ma di loro non volle parlare per non immischiarli nella sua intrigante esistenza di megalomane.

Alla fine era diventato un cinico e spietato critico di se stesso. Praticava esercizi di autostroncatura con un'ironia che rasentava il sarcasmo e una puntualità da impiegato di banca. Un tempo, quando iniziò a girargli bene, credeva di esser bravo e faceva la ruota, come i pavoni. Aveva dalla sua il plauso del pubblico e molti amici, ingredienti che lo rendevano spavaldo e sicuro.

Per molti anni attraversò tempi duri dai quali non

vedeva l'ora di liberarsi. Quando il vento girò, la barca gonfiò le vele e partì, e allora rimpianse quei tempi. Non era più l'uomo che tagliava legna nei boschi, liberava figure dai tronchi per qualche lira, scalava montagne per il piacere del vuoto sotto i piedi e, una volta in cima, guardare dall'altra parte. Nel rifugio dei monti un tempo era di casa, in seno alle montagne ci viveva, dentro i boschi vagava a ogni stagione come i caprioli. Ed era contento. Ora non più. Impegnato com'era a calcare il palcoscenico della gloria, stava perdendo la pace. Dopo anni di miseria e umiliazioni, la sorte alla fine lo stava premiando. E rovinando.

Di questo si accorse molto dopo, quando sentì prepotente il richiamo dell'antica esistenza, quando cominciò ad averne abbastanza di riflettori sul muso. All'inizio le luci della fama lo abbronzavano, poi lo arrostirono. Capì che stava tirando troppo la corda, e decise di concedere più ombra a se stesso. Riprese ritmi e vita di una volta, tirò fuori dal ripostiglio la scure e, quando poteva, andava a tagliare legna come da bambino col nonno. Era un lavoro paziente e duro che rasserenava. La fatica gli calmava i bollori, lo rendeva umile, lo tranquillizzava. Quella scelta era una specie di riscatto, un ritorno alla terra, un chiedere scusa alle origini per averle abbandonate. Si sentiva, ed era, figlio del bosco e al bosco mirava a tornare. Non aveva disperso tra le platee l'antica abilità, quel fare con le mani che lo connotava. Sapeva ancora maneggiare l'ascia da destra a sinistra e viceversa per abbattere un albero. All'inizio le braccia stentarono a trovare i ritmi d'un tempo, ma dopo tre giorni i muscoli ripresero a mettere colpi precisi uno accanto all'altro e far volare schegge. I muscoli hanno memoria buona, basta rinfrescargliela, e ricordano come comportarsi anche se trascurati e fatti poltrire per anni. Quelli vissuti nel bosco erano momenti intensi e veri nei quali ritrovava l'anima smarrita, perduta tra lampi di notorietà e luci della ribalta.

Ogni volta che saliva al bosco della val da Diach, sostava su una piazzola dove un tempo suo padre aveva costruito una baracca di tronchi, semplice e accogliente. Al centro di una radura sorgeva, paffuta come un fungo porcino, questa casupola dove mangiare, ripararsi dai temporali e dormire la notte spossati di fatica. Stava lassù per mesi, col padre, a tagliare tronchi e mandarli a valle in teleferica. Su tutto vegliava la mole possente del monte Lodina, che di notte si svegliava e stiracchiandosi buttava giù sassi. La luna rimpiccioliva in fase calante, momento ideale al taglio di legna. Verso mezzodì tornavano in baracca per il pranzo. A turno, uno dei due s'avviava prima, per metter su l'acqua della pasta.

Mangiavano in silenzio, uno di fronte all'altro. Mai che incrociassero gli sguardi o sorgessero domande. Le antiche incomprensioni facevano da schermo, quelle nuove erano pronte a far scattare la scintilla. Il vecchio riempiva due bicchieri di vino, vuotando il suo d'un fiato. Il giovane beveva adagio. Appena finito, il padre riempiva di nuovo i bicchieri. Senza chiedere se ne volesse o meno, senza chiedere niente di niente. Vite agre, rancori mai sopiti, sfide silenziose a fil di scure, incapacità di entrambi a dire "ti voglio bene". Se ne volevano, ma non riuscivano a dirlo né a dimostrarlo. Alla sera restavano in silenzio accanto al fuoco. Quando il fuoco moriva, spegnevano il lume a petrolio e s'addormentavano. Il giovane stentava a prender sonno. Non voleva dormire. Voleva ascoltare, avere addosso vita, sentire sulla pelle il fiato dei boschi notturni. Lo incantava il chiarore lunare che entrava come un miele dalle fessure e dalla finestra a carezzare i pochi oggetti d'arredo. Era l'invito. Allora si alzava, usciva e si metteva seduto sul ciocco che fungeva da sedia, col muso in aria a fissare la polenta dorata della luna che, notte dopo notte, diventava sempre più sottile, fino a sparire nel buio infinito delle notti d'estate. E poi pian piano tornava a crescere e in quella fase non si tagliavano piante. La luna lo aveva stregato fin da piccolo nelle battute di caccia col padre. Tornati a casa, usciva a contemplarla per ore, da adulto faceva lo stesso.

Era intorno la fine di marzo, una primavera tiepida come un focherello faceva lacrimare le piante a ogni colpo di scure. Piangevano come viti potate, non volevano morire, chiedevano grazia. Forse avevano paura. Non si dovrebbe tagliare nulla a fine marzo, ma lavorando nel bosco c'è sempre qualche albero che intriga o dà fastidio alle manovre e allora occorre tirarlo giù. E lui piange come una fontana: la linfa esce a fiotti, tanta che si può berla. Il giovane la beveva, convinto di riceverne la forza e la calma di un albero. Beveva il sangue della pianta come beveva quello dei camosci appena uccisi. Per diventare camoscio, camminare veloce, non avere paura del vuoto e tante altre loro abilità.

Quella notte in cui il padre sedette sul ciocco a guardare la luna, diventò una notte speciale. L'uomo non rientrava e al figlio venne in mente di guardare la luna assieme a lui. Forse la grande polenta gialla quella notte li avrebbe sciolti, fatti parlare, addolciti, uniti. Chissà. Si alzò e uscì nel buio tremolante di marzo. Intorno rantolavano i gufi con colpi di tosse soffocati, più lontano i barbagianni si lamentavano, vicinissima una civetta faceva pit. Il figlio sedette sul ciocco, accanto al padre. L'uomo non guardava la luna, teneva la testa tra le mani e i gomiti sulle ginocchia. Piangeva. Si udiva un pianto solitario nella notte di marzo. Incredibilmente, quell'uomo fatto di ghisa e cuore di pietra, stava piangendo. Il figlio azzardò una domanda per sapere quale mistero doloroso fosse intervenuto a far piangere l'uomo di ghisa e pietra.

"Ce asto, pa?" Cos'hai babbo?

Risposta non venne. L'uomo sputò soltanto un disperato "nia". Niente. Disse al figlio che non aveva niente. Passarono da allora molti anni e il vecchio morì senza mai rivelare al figlio la causa di quel pianto notturno sotto la luna della val da Diach. E la luna diventò speciale, come notte. Insieme erano riuscite a far piangere un uomo che non piangeva mai. Ma non riuscirono a scioglierlo, addolcirlo, e nemmeno a farlo andare d'accordo col figlio. Il padre pianse ancora qualche minuto, poi s'alzò, tornò in baracca e si buttò a dormire. Il figlio rimase lì, sul ciocco, a pensare e interrogare la luna sul perché suo padre piangesse nel silenzio di una notte di marzo.

Quando tornava al bosco della val da Diach, sostava ogni volta sulla piazzola dove un tempo stava la baracca. La casupola non esisteva più. Gli anni e la neve, vento, pioggia e grandine l'avevano battuta, fiaccata, pressata, fatta cadere e demolita. Il peso degli anni non risparmia nessuno, men che meno le dimore abbandonate. Esse soffrono la nostalgia, piangono per mancanza d'affetto, calore umano, vita. Le case abbandonate perdono forza, si lasciano andare. Così, della piccola baracca di tronchi, nata per esigenze di lavoro nella radura della val da Diach, non rimaneva più nulla. Solo qualche mozzicone di trave marcito, il ciocco che fu sedia e alcuni chiodi arrugginiti che sporgevano come dita insanguinate dalle assi disfatte. Bottiglie vuote e lattine di birra giacevano sotto le foglie morte delle stagioni. Suo padre non era ecologista, lasciò la radura seminata di fiori non all'altezza del luogo. Era fatto così: dove arrivava sporcava, dove non vinceva demoliva, dove non corrisposto picchiava.

Nonostante fosse morto da anni, la presenza di suo padre nella radura era palpabile. Pareva che il suo spirito aleggiasse là intorno e spiasse con un sorriso, mai espresso da vivo, il figlio che sostava a caccia di ricordi. Questi arrivavano struggenti e precisi, come le anime dei morti, a parlare di una vita ormai passata che non sarebbe più tornata. Seduto sul ciocco rifletteva su quel periodo della vita che spesso aveva odiato.

Un giorno d'estate, la più strana forma di melanconia da ricordo lo colse seduto nella radura, mentre contemplava i resti della casupola. In quel preciso istante, gli arrivò, nitido e imperioso da remote lontananze, l'ordine di ricostruire la casetta nello stesso punto. Forse era l'anima del vecchio che dall'inferno suggeriva quella mossa. O, più semplicemente, era la nostalgia delle cose perdute a fargli decidere di ricostruire la baracca. Voleva iniziare a primavera. Era convinto che la stagione dei cuculi fosse ideale per cominciare un lavoro. Qualsiasi cosa, pensava, dovrebbe nascere a primavera, compresi i bambini. I bambini nati a primavera sentono le gemme della vita che premono e saranno vivaci, creativi, allegri. I bambini di primavera cinguettano.

Intanto le stagioni passavano una dopo l'altra e i lavori alla casupola non partivano. Era come se rifarla lo riportasse indietro a memorie sopite ma ancora vive che lo rendevano triste. Che senso aveva riesumare la baracca se il vecchio non c'era più? Invece senso ne aveva eccome. Voleva abitarci lui, ritirarsi lassù, lontano dai casini e dalle platee, fuori dal giro di luci che lo avevano disseccato, deviato, fatto parlare nell'età in cui un uomo dovrebbe tacere. Ma non era facile togliere il muso dalla gogna della ribalta e fare l'eremita. Il successo gli piaceva, anche se andava bofonchiando il contrario. Era vissuto al gelo di una vita amara, senza gioie, sempre ai margini del buio. Ora che s'erano accese le luci e la fama lo metteva sul palcoscenico, voleva farsi illuminare per bene senza perdere occasione. Sapeva che non era ora di abdicare, che non era ancora saturo di notorietà. Intanto spianava il terreno alla ritirata, sentiva di doverlo fare, cominciava a stufarsi. Una delle cose che lo aiutavano a preparare l'uscita era tornare al lavoro del bosco, faticare, riprendere i mestieri grazie ai quali era sopravvissuto, non da ultimo quell'arte di scolpire che lo aveva salvato forse dalle patrie galere. E scalare montagne da solo. Non perché disprezzasse la compagnia degli amici, anzi, certe volte ne aveva bisogno, ma perché voleva sentirsi, ascoltarsi, conoscersi. E questo poteva accadere quando era rigorosamente da solo.

A sessant'anni non si conosceva ancora, la recita lo aveva sopraffatto, non sapeva di preciso chi fosse in realtà. L'esporsi alla vertigine del vuoto lo distillava. Cercava sfide per potersi stimare almeno un poco. Avere fiducia in se stesso, scoprire che sotto le croste di vanità campava una persona leale e affidabile. Non vi è nulla come il pericolo per mettere a nudo l'uomo, levargli la parte, strappargli il copione. Nel pericolo estremo, di fronte alla morte, l'individuo rivela chi è, lo grida forte a se stesso.

Intanto quell'uomo insoddisfatto seguitava a suonare l'esistenza come una fisarmonica. Una volta s'allontanava dalle cose che lo avevano visto crescere, un'altra volta vi si avvicinava velocemente.

Tutti nella sua famiglia, partendo dagli antenati, suonarono le loro vite più o meno così. Alcuni, sull'onda dell'entusiasmo, tirarono troppo, lo strumento si spezzò e finirono male. Non c'è verso di rabberciare o ricucire una fisarmonica, essa perderà sempre fiato e suonerà bolsa. Sua madre aveva tirato la vita troppo forte e aveva corso il rischio di strapparla. Così come aveva fatto il marito, che smise di essere un bruto soltanto perché fu costretto.

A ottantasei anni, una mattina di marzo morì e non alzò più le mani né la testa. La moglie gli sopravvisse un lustro, cinque anni tranquilli, persi nel nulla di un oblio inconsapevole. Era una vecchia stanca, consumata dall'esistenza, corrosa dalla ruggine di anni infelici, botte e umiliazioni. Ingredienti che l'avevano segregata nel buio di una dimenticanza senza ritorno e, a quel punto, la speranza non le serviva più. Per salvarsi, in ultima, aveva deciso di non ricordare la gente, le cose, i luoghi. Spesso non riconosceva neanche il figlio degenere che ogni tanto l'andava a trovare. Non ci andava molto spesso, a dire il vero, c'era un passato che bloccava le visite, ma ogni tanto si faceva vedere. E in quei momenti nascevano discorsi tra muti, chiacchiere fatte di sguardi, intese al volo, parole che uscivano dagli occhi senza rumore, come lacrime. Era rimasto anni senza parlare con la madre. Non sopportava la sua indipendenza, quell'arrogante bastarsi da sola, sorretta da una superbia senza uguali. Soprattutto non le perdonava d'averlo abbandonato in tenera età. E, più tardi, d'averlo eliminato dalla terna dei figli come si estrae un fiore dal mazzo e lo si getta via perché rovina l'equilibrio d'insieme. Il padre lo aveva escluso da tempo. Lo teneva in considerazione solo per farlo sgobbare, umiliarlo, picchiarlo, lasciarlo senza cena e chiuderlo fuori casa. Non furono poche le volte in cui dormì all'addiaccio, nei fienili, in casa d'altri. Bastava una piccola mancanza e addio cena, addio letto. Quando era adolescente aveva paura a dormire fuori, ma un po' alla volta la pratica lo fortificò, gli fece scoprire il coraggio. Il coraggio dovette cavarlo dalla paura, renderlo solido. Alla fine di quel rodaggio non aveva più alcun problema a passare le notti infilato nei covoni di fieno, sui prati che odoravano d'estate, sotto mirtilli di stelle e sinfonie di grilli. Se il tempo si faceva minaccioso, riparava sotto un portico, in una stalla, su qualche fienile. Avrebbe potuto chiedere ospitalità alle famiglie, a volte lo fece, ma si vergognava. Si vergognava come quando girava i paesi della valle con la nonna, a elemosinare un po' di cibo. La donna camminava veloce e scomposta come un tasso, brontolando Ave Maria e bestemmie, un miscuglio di fede e ribellione che capiva solo lei. Il ragazzo doveva pregare anche lui, ma guai se bestemmiava. Pregare sì, bestemmiare no, così decideva la vecchia. Lei porconava, lui non doveva, ma spesso, per farla dannare, smoccolava pure lui, e piuttosto a voce alta. Quella donna aveva subito anche lei angherie di ogni tipo. La madre del ragazzo infierì a man bassa sugli anziani di famiglia. Ma ora pure lei era invecchiata e il tempo l'aveva consunta mettendole a nudo le ossa. Adesso forse capiva che procurare dolore gratuito non era il caso. Probabilmente anche per questo in ultima s'era smarrita nei boschi dell'oblio. Il giorno del bilancio finale s'avvicinava, i rimorsi presentavano un conto salato. Vivere il tempo che restava nella dimenticanza era un buon metodo per evitare i rimorsi. E così fece. Ma ogni tanto tornava lucida e per qualche ora piangeva. Piangeva in ritardo. Piangeva, forse, per un figlio mai abbracciato, carezzato, cullato, tolto dal mazzo e buttato a parte.

Quel figlio ormai sessantenne ogni tanto andava a trovarla e la fissava. Si guardavano nel fondo dell'anima, madre e figlio. Dentro lo smarrimento degli occhi parevano chiedersi scusa a vicenda. Lei aveva il viso dei vecchi, privo di ogni velleità, disarmato, senza più resistenze. Aveva il viso di chi ha capito troppo tardi. Anche l'uomo aveva capito tardi, ma il suo volto conservava le durezze atte a mascherare i rimorsi di anni spesi nel rancore. O a giustificare certe forme di vendetta che imponevano indifferenza e distacco.

Qualcosa di mite stava maturando nell'animo dell'uomo ma era troppo tardi, i tempi buoni erano stati sprecati e non sarebbero tornati più. Poteva recuperare al massimo qualche sguardo. Sguardi di una vecchia madre. Li raccoglieva nel palmo della mano come un assetato raccoglie la goccia cadente dalla rupe. Catturava occhiate, dettagli, spiate. Ormai era andata così, poteva raccogliere solo briciole. Avanzi da far crescere almeno nella memoria. Così poteva ravvivare la fonte disseccata di un amore mai espresso, qualcosa che s'era imbalsamato per orgoglio e che ora cadeva a pezzi di fronte allo sguardo smarrito di una vecchia.

Allo stesso modo in cui la neve scompariva, la vecchia scioglieva il nodo con la vita. Stava iniziando l'ultimo anno della sua esistenza infelice. I mesi finali la corrosero giorno dopo giorno, la succhiarono adagio, come una caramella amara nel lugubre palato della morte. Tribolò meno di un anno, poi morì. Fu verso la fine di un marzo pieno di gelo e di alberi piegati dal vento. Un marzo privo di tepori, dal colore di cenere. Ma era pur sempre marzo, un buon mese per nascere e morire, partire e arrivare. Anche il marito era morto a marzo. Cinque anni avanti a lei, verso i primi del mese. Entrambi scelsero marzo e ottantasei anni per andare. In due cose furono d'accordo: il mese e l'età.

Quando restò vedova, la donna navigava da tempo nei mari della dimenticanza. La sua testa andava e veniva, produceva alternanze di memoria e oblio, alcune non prive di risvolti comici. Voleva non vedere né sentire e fu accontentata. Nemmeno s'accorse che le era morto lo sposo picchiatore. Il figlio, per metterla alla prova, ogni tanto chiedeva notizie del padre. Lei rispondeva che era a dormire, o nel bosco a fare legna. Si spense convinta che il marito fosse vivo, invece era sepolto da tempo assieme alla sua barba grigia, alla sua mente irosa e mai contenta.

Il giorno in cui morì la madre, si concluse un'epoca. Assieme a due esistenze disgraziate, senza gioie e senza redenzioni, finiva un periodo famigliare durato sessant'anni. E il figlio, quello stesso giorno, terminò di essere figlio.

I primi tempi non ci fece caso. Ma, dopo qualche mese che se n'era andata, il ricordo della madre si fece struggente e non solo quello di lei. In certi giorni di maggio passava davanti alla casa che lo aveva visto crescere e trovava la porta chiusa. Non c'era dentro nessuno e il camino non fumava più. Di tutte le persone e le voci che assieme al fuoco avevano intiepidito quei muri, ora non era rimasta traccia. Appoggiava l'orecchio all'uscio e ascoltava. Non proveniva suono, fruscio, o rumore alcuno. Dentro aleggiavano anime morte, ricordi presenti solo nella memoria di un sopravvissuto in attesa del suo turno. Contava quelle anime, una per una. Sette. Sette persone animarono assieme a lui la vecchia solida e accogliente casa di legno e pietra. Dov'erano finite quelle persone? Sparite, sepolte nella terra. Con l'autunno dei secoli, gli alberi genealogici perdono foglie come gli alberi dei boschi. I millenni spezzano rami e tronchi, le dinastie svaniscono, si riducono a pensieri remoti, spesso vaghi e confusi. Ma i morti recenti, quelli dalla voce ancora presente, restano. Davanti alla porta sbarrata, nel silenzio dell'interno, l'uomo faceva la conta. Ricordava. Quei volti sbiaditi prendevano colore e forma.

Allora si sedeva sulla soglia consunta dal passo degli avi, e stava fermo là, il viso tra le mani, i gomiti sulle ginocchia, a pensare a quel che era stato. Non provava alcuna disperazione o tristezza, solo una tranquilla malinconia che lo rendeva migliore. In quei momenti, infatti, abbandonava rancori, ambizioni e sogni di gloria. Tutte cose che non servivano a farlo campare né a morire in pace. Aveva la certezza che l'esistenza era niente, quindi doveva impostare il futuro nella maniera più tranquilla. Senza complicarsi ancora la vita. Alla sua età, per vivere bastava poco, il minimo indispensabile e il passo lento dei giorni. Le mani in tasca, un libro, qualche bicchiere di vino, gli amici rimasti e la certezza di lei che lo seguiva. Per il resto solo aspettare. Attendere senza sgomitare quel che sarebbe accaduto, finalmente in pace con se stesso. Sulla strada dello scacco finale, scrollarsi di dosso obiettivi e traguardi come il cane si scrolla l'acqua dal pelo. Così pensava l'uomo, seduto sulla porta sbarrata della vecchia casa orfana di ogni voce. Tutto finisce, cose e persone diventano silenzio e nulla. Del resto è ineluttabile, la gente passa, va e viene, nasce e muore, questo non lo rammaricava. Lo addolorava la consapevolezza di aver avuto accanto persone con le quali parlare, chiarire, risolvere problemi, spianare incomprensioni e non lo aveva fatto. L'unica cosa intrapresa era stata una guerra senza esclusione di colpi contro persone che da vive lo avevano tormentato. A tempo debito, le pagò con la stessa moneta con cui avevano trattato lui.

Ma ora, anche dopo morte, quelle persone s'erano messe di nuovo a tormentarlo con metodo e costanza. Usando la punta acuminata dei rimorsi, acuivano in lui il dolore per le occasioni perdute di vivere in pace, accendevano nel suo animo il tormento per non aver saputo né voluto perdonare quando era tempo. I volti che aveva odiato assumevano nel ricordo sembianze dolci e lontane, ormai impossibili da raggiungere. L'unica cosa che restava era volgere a tesoro l'esperienza e cercare di non commettere in seguito gli stessi errori. Così, dopo che sua madre, ultima abitante della vecchia casa, ricevette degna sepoltura e le stanze restarono senza voci, l'uomo decise di migliorare il suo rapporto con il prossimo. Non era facile, ma cercò di imporselo come regola da non dimenticare mai. In questo modo, con la stessa serenità di un albero che affronta temporale, egli s'apprestò ad affrontare quel che gli restava da vivere con i migliori buoni propositi.

Nel frattempo, la vita con lei si svolgeva a strappi, alla fine erano più le distanze a esser collezionate che non le vicinanze.

Erano contenti così, vivevano nel grembo di piccole cose, a volte fugaci, ma nella loro anima diventavano grandi e durature.

Ciò che rimane è il passato, diceva a lei. Quello che è successo dura in eterno anche se quando accade è solo questione di secondi. Un'emozione può sparire nella brevità di uno sguardo, ma la si ricorda per il resto dei giorni.

"I ricordi torneranno a cercarti quando sarò morto" diceva. "Ti parleranno con la voce del passato, rammentandoti il tempo felice."

Così diceva l'uomo a quella donna temporalesca e mite, passionale e inquieta a seconda delle paure che correvano a cercarla quando rifletteva sull'esistenza. Paure provenienti da lontano, forse dall'infanzia che anche lei non aveva avuto facile. Si consolavano sapendo che le cose tornano. Un sorriso, una carezza durano l'attimo in cui brillano, poi si consumano, svaniscono, ma nella memoria restano eterni e non abbandonano chi li ha vissuti. Paradossalmente, solo ciò che è passato dura, solo quello che fugge da noi rimane accanto a noi. Con queste riflessioni l'uomo cercava di consolarsi quando non vedeva futuro o lo percepiva nebuloso e senza speranza. Ogni futuro, del resto, è senza speranza. Il loro si profilava incerto, fare progetti era un azzardo. Vivevano alla giornata, nelle giornate che riuscivano a rubare lungo il dipanarsi veloce degli anni. Lui aspettava la vecchiaia, ormai la sentiva accanto. Anche se avessero potuto fare progetti, sarebbe stato difficile realizzarli.

Erano anime inquiete, turbolente e nervose. Avrebbero voluto essere liberi di esistere, muoversi, circolare, ridere, cantare. Pretendevano troppo, sognavano l'impossibile.

A volte, l'uomo ragionava con lei sull'incapacità di donarsi completamente, senza chiedere nulla in cambio, sull'impossibilità dolosa di essere felici. La donna ascoltava, ma non fiatava. Ammetteva tutto questo con risposte di silenzio mentre un'ombra di tristezza l'avvolgeva come un sudario. "Che fare?" si chiedeva l'uomo. Niente; si poteva solo aspettare. Attendere che il tempo trascorresse cercando di cogliere al volo qualche fiore di serenità e dolcezza da quel magma pantanoso che è la palude della vita. Perché non riusciva a trovare un minimo di equilibrio, un po' di pace? Perché non riusciva a conservare armonia con nessuno? Non lo sapeva. Risposte non venivano, cercandole forse sarebbero apparse, ma a che serviva? Era così, funzionava a quel modo e basta. Bisognava accontentarsi, tirare avanti la carretta in attesa del salto finale, il passaggio liberatorio che avrebbe messo fine a ogni inciampo.

Quando lo visitavano i pensieri tenebrosi e subdoli, e in ultima lo visitavano spesso, si rifugiava nei boschi a fare legna, o sulle vette dei monti, o scalava pareti di roccia. Lassù l'esistenza tornava a sorridergli, vedeva di nuovo la vita come un dono, sentiva che bene o male valeva la pena frequentare i giorni, affrontare con pazienza delusioni, sconfitte e dolore. Ma altre volte, quando l'amarezza tirava le tende e dentro si faceva buio, nemmeno le montagne erano medicina, né i boschi tenebrosi bastavano a lenire le tristezze e le malinconie di un tramonto che sentiva approssimarsi molto in fretta. Allora si nascondeva nella riserva subdola e inutile, che non ha mai risolto e non risolve nulla: l'osteria. Lì, tra sguardi fessi e chiacchiere sterili, cercava di annientare la disperazione con un bicchiere dopo l'altro. E poi di sorridere, sforzandosi di apparire allegro e simpatico per non esser di peso agli altri, per non rivelare quel malessere che lo tormentava fin da piccolo.

Da bambino sentiva pesargli sul cuore il dolore dei nonni umiliati, della madre picchiata, dei fratelli abbandonati, di quella casa disgraziata. A volte, anche i rimorsi del padre. Eppure quell'uomo violento e senza cuore ogni tanto si metteva la testa tra le mani, seduto sulla panca e piangeva in silenzio. Il ragazzino penava a vederlo così, storto di fallimento, anche se in certi momenti lo avrebbe ammazzato volentieri. Crescendo, aveva messo la scorza e non penò più per nulla e per nessuno. Aveva indurito il cuore, era diventato cinico, a volte crudele più di suo padre. Ma un angolino del cuore lo aveva lasciato libero, per piangere ancora, aver paura.

A riportarlo sulla buona via, liberarlo dalla scorza come quando si scorteccia un vecchio larice a primavera, fu lei. Prima se la teneva ben stretta quella protezione mediante la quale mandava la gente a quel paese, maltrattava, faceva piazza pulita di tutto. Faceva terra bruciata attorno a sé senza problemi e nessun rammarico. Più si rendeva isolato, meglio si trovava e meglio stava. Ma non era un bel vivere. Una lenta ruggine ringhiosa corrodeva la sua anima. Ce l'aveva col mondo intero senza alcun motivo. Era un vanitoso, un fallito che si scagliava sugli altri. Non accettava la sorte, non voleva perdere la battaglia inventata da lui stesso per ribellione, riscatto, rivincita sull'infanzia. Stava perdendo tempo e lo sapeva. Allora decise di rimediare. E fu a quel punto che scoprì l'impossibilità di evitare perdite di tempo. Non per volontà sua, bensì per quella degli altri. Gli altri impedivano, bloccavano, rompevano le scatole perché ragionavano come lui. A questo punto occorreva soltanto cogliere occasioni.

Nei brevi spazi concessi era necessario prendere tutto, divorare vita, saziarsi in previsione della fame. Così faceva. Ma erano pasti magri, segmenti di sogno brevi, attimi di pace in mezzo al tumulto degli eventi. Dover render conto ad altri dei suoi comportamenti lo rendeva pericolosamente acuminato. Ma quello era il passo del mondo. Le ipocrite stradine di facciata, indicate da moralisti e benpensanti, hanno traccia fonda. Da lì non si esce a meno di azzardi o colpi di testa che potrebbero scandalizzare, far inorridire. Ogni scelta, azione, opera buona o cattiva che produce un essere umano, di riflesso farà star male o renderà felice qualcuno. Nel calderone dell'azzardo possono finire tutti e sempre qualche anima tribolerà per il comportamento di un'altra. Anche soltanto esprimendo un'idea, una frase, un gesto, si può ferire qualcuno cui quelle cose non vanno a genio.

La libertà di fare o pensare non esiste. Se la si fa esistere è a scapito di altri. Uno che non vuol ferire il prossimo deve fare a meno di vivere. Così pensava quell'uomo complicato e, forse, non aveva tutti i torti. Ed è proprio in virtù di tale regola che nel mondo c'è gente più morta che viva. Per contro, coloro che rompono il beffardo meccanismo per vivere a fondo ciò che sentono, vengono tacciati di infamia ed egoismo. Dipinti come individui senza cuore che spargono dolore gratis come sementi sul campo. Le infinite trappole morali, quell'uomo ormai vecchio, le aveva intuite da piccolo e sperimentate sulla pelle. Il dramma della sua famiglia aveva coinvolto e travolto lui e i fratelli. Anche se i ragazzi non c'entravano nulla, la follia di due persone non adatte a stare insieme si riversò su di loro, sui nonni, sulla zia senza voce, sulla contrada. Si riversò sul paese intero.

A distanza di molti anni l'uomo prese a vedere la figura materna con altri occhi. Aveva dovuto invecchiare per aprirli bene. Aveva dovuto trovarsi alla disperata come lei per capire, quindi ammirare, il gesto ormai remoto di una madre che salta sul cassone di un camioncino rosso e se ne va: quella donna aveva avuto coglioni.

A distanza di oltre mezzo secolo l'uomo cercava d'intuire lo stato d'animo della madre che aveva lasciato tutto. Di certo non rideva mentre abbandonava alla deriva tre pulcini senza protezione. Tre suoi pulcini, consegnati ad altri per seguire il destino di una scelta istintiva e lacerante. Quella donna aveva osato rompere il meccanismo del non agire per non ferire, del non strappare un filo per non danneggiare l'intero tessuto. Aveva avuto la grinta di fare quello che la maggior parte dell'umanità non fa: andare contro corrente, contro tutto e tutti. Lo aveva fatto cercando un'oncia di felicità. Ma, si chiedeva il figlio, fu poi felice? La risposta era no. Non può esser felice una madre che abbandona i figli e sogna una vita dall'orizzonte migliore. A spezzare il sogno, a renderlo amaro ogni giorno, sarebbero stati gli occhi di quei bimbi che la cercavano. Partendo, la madre aveva compiuto un aborto di figli già nati, questo non giocava a favore della sua felicità. Non è pensabile che una madre non ricordi i suoi figli lasciati per strada, in balia della sorte, in mani altrui, sotto le grinfie di un padre senza cuore. Un padre padrone pieno di cattiveria e ignoranza.

Quella donna aveva avuto la forza di partire e il figlio ne ammirò il coraggio dopo oltre mezzo secolo. Ma non riuscì a dimenticare l'abbandono che lo marchiò per sempre come un rifiuto fino al termine dei giorni. L'uomo rifletteva sull'esistenza imprigionata, sulla vita non compiuta, su quella degli altri che interferiva con quella di altri ancora, ma non cavava soluzione alcuna e nemmeno rimedi. Allora decise di marciare nella selva di intrichi senza machete, mantenere la rotta imperterrito, cercando un pertugio tra i rovi provocando il minor danno possibile. Giocò a scherma col mondo mettendo a segno qualche stoccata. Parò quelle cattive con scudi di pazienza e indifferenza. Dopo i sessanta iniziò a porgere l'altra guancia, con una bontà che da giovane non aveva. Con l'età si migliora, pensava, si diventa meno guerrieri, meno irosi, meno tutto. L'età fa nascere miracoli, favorisce l'oblio delle vendette, togliendo a coltelli e spade filo e brillantezza. Nel frattempo seguitava a raccontare storie. A detta di coloro che decidono cosa raccontare, erano troppe. Forse non sapevano quanto gli costava scriverle. Metteva sulla carta quelle storie per sentirle, raccontarsele, trovare fiducia in se stesso.

Scrivere era l'unico modo per distrarsi, rimanere a galla, non pensare al pantano dell'esistenza che ormai declinava sulla rampa finale. Per lui la vita era andata dall'alto verso il basso, non si aspettava nulla, voleva soltanto trascorrere in pace gli ultimi anni, sereno e in armonia con gli altri, dal momento che con se stesso gli risultava difficile andare d'accordo. Non s'era mai piaciuto, nemmeno da giovane, quando l'età di solito gioca a favore della prestanza. Come tutti i ragazzi, si guardava allo specchio, ma senza trovarvi nulla di carino o anche solo accettabile. Nell'età del silenzio gli era rimasta ancora quella faccia. Antipatica e brutta come allora, quando portava i calzoni corti. Ora però il viso indossava la maschera del vecchio ed era più facile accettare le pieghe della bruttezza.

"La vecchiaia ha i suoi vantaggi" pensava. "Dopo i sessanta non ci si deve più sforzare di apparire belli e affascinanti. Si è quel che si è. Anzi, si è quel che si è sempre stati, ma si può accampare la scusa che da giovani eravamo meglio, e che sono stati gli anni e il dolore a deturparci. Tanto nessuno si ricorda più come eravamo da giovani." Così pensava quell'uomo mai compiuto né persuaso, impossibilitato a trovar pace, torturato da un carattere irrequieto che lo portava agli eccessi, a cercare continuamente il nuovo e non essere mai contento di nulla. Non gli piaceva il suo carattere. Un'arma distruttiva, letale. Si sottoponeva a sforzi continui per migliorarsi, realizzare qualcosa che fosse completo, perfetto, ineccepibile. Impresa ardua per un mediocre, sogno ricorrente del vanitoso. Ma ci provava. Tentativi su tentativi che immancabilmente finivano in fallimenti e delusioni. Don Chisciotte del nulla, ripartiva ogni volta dalle sconfitte.

Allo stesso modo in cui non si piaceva di fisico e di carattere, non apprezzava quel che faceva, che aveva prodotto nel tempo. Ogni tanto ripassava la vita, sfogliava il diario degli anni, rivedeva sculture, scalate, sbronze. Rileggeva qualche pagina di libri scritti con impegno e assoluta convinzione, ma alla fine gli facevano schifo. Tutto gli faceva schifo. Ricordava brandelli di passato vissuti col padre, la madre, gli amici. Ombre che gli procuravano pena. Le risse, gli insulti, le offese che aveva tirato precise come un lanciatore di coltelli e che erano andate a segno, ancora peggio gli provocavano dolore. Le storie si ripetevano, fotocopie della vita una sopra l'altra, una dopo l'altra. Cominciava a stufarsi, e mai una volta che fosse andata bene. Ma non mollava, non si arrendeva alla sfortuna. Seguitava a spingere la carretta perché amava la vita, non per questo confidava nella buona sorte. Sperava e non sperava, in un'altalena di alti e bassi che alla fine lo annientavano nella prima osteria che trovava.

Amava la vita, ma quando la vedeva nella sua nudità, priva di false enfasi consolatorie, ogni tanto non ne poteva più. A quel punto si metteva a bere, peggiorando la situazione e aumentando i giorni di pessimismo. Al quinto bicchiere gli ronzavano in testa trapani di antiche persecuzioni. Al decimo si palesavano quelle nuove, alcune non del tutto campate in aria. Viveva senza pace, se le cercava. E le trovava sempre. Se non le trovava le creava nella sua testa impulsiva, spigolosa, e piena di sospetti. Si sentiva un perseguitato. Il vino, lessandogli il cervello, ingrandiva torti e maledizioni. Allora diventava tagliente, feriva a destra e manca con un piacere che rasentava il sadismo.

Quest'uomo difficile e scorbutico era il pessimo risultato di un carattere ambizioso che però non aveva mai neppure avvicinato il traguardo delle sue ambizioni. Così dava la colpa agli altri dei suoi fallimenti, vedendo nemici dappertutto. Ma, nei momenti buoni, quando allontanava da sé i bicchieri di vino e cercava guarigione nella pace e nel silenzio dei monti, allora ragionava e diventava umile come la sua vera natura imponeva. Capiva che in fondo era un uomo fortunato, aveva salute, forza, volontà. E se non balzava alla gloria imperitura e pluridecorata era soltanto per inettitudine sua.

"Si scrive" pensava "non quello che si vorrebbe ma quello che si è capaci di scrivere." Così ragionava. Quando l'alcol non gli deturpava il carattere avvelenandogli il cervello, si accontentava di quel che aveva. Ma restava un inguaribile sognatore. Sognava traguardi ambiziosi e mete impossibili. Fu un malinconico, instancabile e a volte patetico collezionista di "sarebbe stato bello se...". Nella vita non era un cultore del senno di poi. Nella fantasia sì. Nella fantasia realizzava i sogni pensati a occhi aperti, evitando di imbattersi in quello di vivere felice. Quello era un desiderio che non poteva essere esaudito. Sarebbe stato troppo. Quel sogno doveva rimanere lontano, doveva tenerlo distante. Ma non riusciva. Nelle lunghe notti senza sonno, mentre scriveva storie alla fioca luce di una lampada, la felicità era là che dormiva sulla panca.

A primavera, quando girava i monti per ascoltare il soffio dei galli forcelli, la scopriva accanto a sé. Se la trovava appresso, la vedeva vicina, la sentiva, le parlava. Le indicava col dito il canto degli uccelli, le faceva sentire il respiro notturno dei boschi addormentati. E pensava: "Come sarebbe bello fosse sempre così". Se la trovava attorno nelle uscite a tagliare legna, quando gli alberi arrugginivano nei colori dell'autunno e il sole indeboliva sempre più lontano. D'estate, mentre scalava le rocce verticali, la sentiva dietro di sé, alle spalle, che saliva silenziosa con lui, librandosi nel vuoto come una gazza ladra. Anche la felicità cacciava di frodo. Cacciava un po' di vita sua, di lui, ma sparava a salve, pescava con ami senza punta, riempiva pozze vuote con l'aria del momento, ossigeno vitale che scappava sempre via.

D'inverno, mentre cadeva la neve, e i ciuffolotti vincendo la paura bussavano ai vetri per avere qualche seme, lui fuggiva nei boschi innevati a spiare la natura congelata, udire il crepitare dei cristalli sui rami, vedere gli animali disperati che vagavano latrando in cerca di cibo. E non era solo. Anche lì la felicità stava con lui, volava di albero in albero. La vita gli doveva alcune cose, almeno così credeva, e cercava di farsele dare con insistenza come quelle ditte recupero crediti che non mollano l'osso nemmeno dopo estinte. Tutto senza clamore. Qualche volta la felicità lo seguiva come una capretta. Quando riusciva ad abbandonare gli altri, s'accompagnava a lui nelle scorribande sui monti o in arrampicate spericolate o nelle notti tranquille delle stagioni, immobili sotto un larice, a sentire battere il cuore del mondo e l'andare veloce della vita.

Se camminava dentro la neve lungo una valle solitaria, godeva il biancore scintillante e lo sforzo del passo, ma la sua mente pensava alla primavera, ai fiori. Il suo orecchio li udiva bucare la coltre, spiare il sole. Guardare avanti è un buon metodo per crearsi aspettative, sperare in un futuro dal volto umano. Anche se si è certi che non arriverà.

Quello che arriva è il fallimento e avrà il ghigno mustelide della rinuncia, della sconfitta, del rassegnarsi a prendere ciò che capita senza pretendere altro né osare alzare la testa. Lui accettava ogni cosa, fissava senza paura il muso da martora del destino. Guardava in alto, verso le cime, per non vedere ciò che gli stava attorno. Muri di silenzio e valanghe di parole, apprezzamenti e critiche, ammiratori e detrattori, invidiosi e finti amici.

Da tempo meditava di dare un taglio a tutto e ritirarsi. Abbandonata l'idea di ricostruire la baracca del padre, aveva adocchiato una vecchia baita. Già la stava sistemando per il giorno della decisione. Si trattava di un nido tranquillo, isolato dal mondo. Una casupola antica, pianta di radura, nascosta nel fitto bosco, sotto lame acuminate di roccia incombenti sulla valle come coltelli minacciosi. Per arrivarvi occorreva un'ora di cammino a buon passo, la faccia a sfiorare il sentiero verticale, irto di ossa pietrose, ostile a ogni tentativo di riposo. Ma non era finita. Una volta in quota, trovare il ricovero quando la boscaglia esplodeva nel rigoglio dell'estate diventava impresa impossibile. Vi riusciva solo lui e non perché fosse bravo. Semplicemente aveva inciso gli alberi con tagli impercettibili di coltello, tutti diretti a indicare la via. Erano segni quasi invisibili, molto ben occultati onde evitare che qualche curioso, vedendoli, decidesse di seguirli. Nonostante fosse salito centinaia di volte, nei giorni pensierosi a testa bassa faticava a trovare la baita. Allora, per non perdere tempo, scelse di tracciare il sentiero sfregiando con delicatezza il volto degli alberi. Settantanove segni, cicatrizzati su altrettanti tronchi antichi, raccontavano una storia e un percorso conducendo l'uomo alla tana, quando i crucci della vita confondevano ogni orientamento.

Aveva scelto quel posto non a caso. Era un luogo magico, una radura misteriosa e per certi versi inquietante, dove avevano avuto luogo alcuni episodi da brivido che l'uomo aveva udito da un vecchio bracconiere suo amico, passato da tempo nel regno delle ombre. Le conoscevano soltanto loro due, quelle storie, e il vecchio bracconiere le aveva vissute sulla pelle. Diceva di aver assistito a scene allucinanti avvenute sul bordo della radura, davanti la casupola. Un pomeriggio d'agosto vide un uomo sui quaranta picchiare una donna molto più giovane. La batteva con la cinghia di cuoio sfilata dai pantaloni. La donna urlava proteggendosi la testa con le mani. Allora l'uomo la fece tacere per sempre stringendole la cinghia attorno al collo. Il bracconiere tentò di intervenire balzando dalla boscaglia dove stava nascosto. Ma, quando fu vicino, i due sparirono come per incanto. Intorno alla radura non rimase che un vento circolare e la casupola alle spalle che pareva piangesse. Per cinque volte, in vari anni, vide la stessa scena. Un uomo, dopo averla picchiata a sangue, uccideva una donna strozzandola con la cinghia. Erano sempre donne diverse. E sempre, quando il bracconiere s'avvicinava, vittima e assassino sparivano in un soffio di vento.

Il bracconiere gli raccontò un'altra scena, precisando che la baita era disabitata da un secolo e mezzo. Una volta arrivò al margine della radura verso mezzodì. Era l'inizio di un luglio torrido, tutto pareva soffocare e fondere nella calura. Guardò la casupola e vide l'assassino sulla porta che lanciava verso il bosco fibbie d'ottone per cinghie. Le toglieva da un secchio una per volta e le buttava lontano in preda a una rabbia che sprizzava dagli occhi rossi e sporgenti come quelli dei gufi. Il bracconiere s'avvicinò d'un passo e a quel punto l'uomo sparì. Allora il bracconiere cercò qualche fibbia tra i rovi, in modo da raccogliere almeno una certezza di quel che aveva visto. Ma per quanto avesse spiato e frugato, non ne trovò traccia alcuna. Né mai raccontò a nessuno queste tremende apparizioni tranne all'amico. Il quale le ascoltò mostrando interesse e rispetto ma, sotto sotto, sorrideva bonario giacché non credeva a una virgola di quelle fole. Ma ebbe modo di ricredersi in maniera piuttosto traumatica, restandone segnato per sempre.

Fu grazie a quel segno rimastogli nell'anima che decise di acquistare la baita e metterla a posto. Non immaginava che, molti anni dopo, sarebbe stata la sua ultima dimora, un ritiro solitario e definitivo popolato di fantasmi e voci inquietanti. Perché, oltre a sorgere in una zona meravigliosa, quella casa lo catturava in altri modi, gli diceva "vieni", mandava richiami e sussurri, dava voce a pianti e storie tragiche. Soprattutto, conteneva un mistero non ancora svelato.

L'uomo intanto seguitava a condurre la vita che il po' di fama racimolata negli anni gli proponeva. Lasciava spesso il paese, quel nido d'aquila dov'era cresciuto e dal quale, prima d'allora, non si schiodava per nessun motivo, nemmeno a trascinarlo con lo zappino da tronchi. Poi, scoprì che c'era un mondo anche fuori, spesso bello e migliore di quello dove s'era blindato per sessant'anni credendo di stare in paradiso.

Il paradiso fugge sempre lontano. Non è detto che il luogo natio sia per forza ricettacolo di buoni sentimenti e opere pie. L'uomo aveva capito che nel posto dove le radici tengono inchiodato l'albero, boscaioli senza scrupoli fanno tagli profondi nel tronco, spirano venti che lo piegano in terra, brillano saette che s'abbattono sulla pianta ferendola senza pietà. Poi l'albero guarisce. Adagio, ma guarisce. L'uomo sapeva che i segni di quelle ferite a un certo punto della vita fioriscono, si mettono a pulsare, arrossano la pelle, gonfiando la carne e tutto torna a far male come allora, come al tempo in cui furono inferte. Giova a quel punto andare via spesso, più lontano possibile, anche solo per qualche giorno. La lontananza dal paese è un balsamo, lenisce le vecchie ferite, le fascia, le fa dimenticare. Le nasconde per qualche tempo sotto la novità di posti nuovi, voci, gente sconosciuta. Ma l'incognita del viaggio, dell'altrove, la curiosità di conoscere gente e scoprire che in fondo è uguale dappertutto, lo aiutavano a non sentirsi un verme e consolarsi. Constatava che gli esseri umani sono oscure fotocopie l'uno dell'altro e, tra quella immane pila di fogli alta miliardi di persone, sibila il vento dell'invidia, dell'ipocrisia e della cattiveria. Ma ogni tanto, nel vortice di follia malvagia, comparivano fogli bianchi di bontà e delicatezza. Ed erano parecchi. A loro si aggrappava quell'uomo logorato da anni disordinati e vita grama. Da quei fogli puliti, ricchi di comprensione e affetto, riceveva aiuto e forza per superare i giorni e andare avanti. Pareva forte, invece aveva bisogno di aiuto. Mano a mano che passavano gli anni, s'accorgeva di essere più stanco. Non stanchezza fisica bensì la spossatezza del tempo e delle cose che invecchiando salivano a galla, portando in superficie rimorsi, verità e menzogne. Anche le sue menzogne. Da giovane aveva sfrontatezza di mentire persino di fronte a fatti di chiarezza precisa. Suo padre gli aveva insegnato a mentire. Quando rientravano da una giornata di caccia e qualcuno chiedeva al ragazzo quale montagna avessero battuto, doveva dire il nome di un'altra, mai quella reale. Se andavano al mercato del paese vicino doveva dire che andavano nell'altro, quello dalla parte opposta. Lo stesso per mille altre cose. La verità in quella casa era bandita, così voleva il capo, così doveva essere. Dai e dai quell'esercizio aveva attecchito, gli si era piantato sulla pelle come un tatuaggio. Negava persino l'evidenza di fatti eclatanti. Una volta che i guardacaccia lo scoprirono a bracconare, affermò candidamente che non era lui. Lo processarono lo stesso perché invece era lui.

Ora, nell'età rivolta al declino, falsi amici, tradimenti dati, ricevuti, spiati. Distillava nitidamente una folla; quella delle persone di cui si fidava, di cui si era fidato e sarebbe stato meglio di no. Davanti gli passava il mondo. Quel mondo fatto di recitanti, attori consumati, svelati dalla loro stessa recita. Per la maggior parte mezzi uomini, le solite fotocopie oscure, gente che non conosceva le parole "tolleranza", "perdono", "generosità", "lealtà" e simili "facezie".

E di lui ci si poteva fidare? No. Anche lui era un attore. Ma, una volta imboccato il sentiero della vecchiaia, aveva deciso di onorare la vita migliorando i comportamenti, recitando il meno possibile, cercando, in ogni caso, di essere leale e onesto. Soprattutto per la felicità. E la serenità. Si sta bene a fare bene. Era convinto che essere buoni e tolleranti valesse la pena, alla lunga pagasse. Anche se dall'altra parte si ricevono calci in faccia. Uno deve far del bene perché lo sente, non per essere gratificato e ringraziato.

Lo fa e basta. Allora il suo animo vivrà in pace. Un tempo, quell'uomo scorbutico e vanitoso, prima di far del bene valutava se il male che ne derivava era sopportabile. E poi calcolava se poteva cavarne vantaggi, agevolazioni o altri favori. Come tutti, del resto. Ora non più. Piano piano si era redento, ma era difficile rimanere a lungo sul binario giusto. Sortiva sempre qualche occasione, innescata da gente non redenta, a fargli saltare la mosca al naso. A quel punto sbottava, reagiva, si difendeva. Ma erano fuochi deboli, sempre più pallidi, che rientravano immediatamente nella saggia formula del lasciar perdere.

Si era convinto di una cosa e l'andava predicando di continuo nelle osterie o la infilava in sciagurate conferenze che finivano ogni volta in epiche sbronze protratte fino all'alba: in queste e altre occasioni affermava che la missione più importante cui un essere umano deve mirare, a ogni prezzo, è quella di non rompere le scatole (lui diceva "coglioni") al prossimo. Secondo quest'uomo difficile e spesso intrattabile, il mondo sarebbe stato un paradiso di pace e bellezza se ognuno si fosse occupato degli affari suoi (lui diceva "cazzi").

Fino alla fine, quando sparì dal mondo senza lasciar traccia, predicò questa filosofia con la remota speranza che qualcosa cambiasse. Almeno nell'ambito di amici e parenti. Ma niente mutò e l'umanità, con suo grande rammarico, continuò a impicciarsi dei fatti altrui. Provò a convincere insegnanti, presidi, docenti, politici, e persino un ministro affinché si introducesse in asili, scuole, università e luoghi deputati questa regola che avrebbe reso migliore il mondo. Ma prima di tutto, avvertiva, il sano principio doveva essere imposto nelle famiglie, era da lì, secondo lui, che partiva l'inciampo. Se papà e mamma s'impicciano degli affari degli altri e non dei loro, i figli faranno altrettanto. In questo modo, verrà a crearsi una famiglia di rompicoglioni. E poi una stirpe, e così via. Famiglia dopo famiglia, stirpe dopo stirpe, il pianeta non è altro che un immane calderone di impiccioni e rompiballe.

Quell'uomo antipatico era tormentato dalla tragedia planetaria del "rompiballismo" e fu per questo, e molto altro, che decise di ritirarsi nella baita e tagliare i ponti col mondo. Alla fine di un anno tribolato festeggiò come mai aveva festeggiato l'arrivo di altri dodici mesi pieni di casini e fioche speranze. Si sbronzò per ventisette giorni, quasi tutto gennaio, che non è poco! Dopodiché mise la testa in quadro e riprese a lavorare. Lavorò in ginocchio attorno a tronchi di legno e chino sopra fogli bianchi che riempiva con grafia minuta e fitta per intere notti, senza pace. Beveva e lavorava, lavorava e beveva finché non cantarono i cuculi. Era venuto il tempo di cambiare, sapeva che si deve partire a primavera per iniziare qualcosa di importante. Voleva prepararsi un posto buono lassù, in quella radura solitaria dove cervi e camosci, uccelli e vento, neve e pioggia sarebbero passati a salutarlo. E non avrebbero chiesto il conto, fatto domande, rotto le palle. Rinunciò senza dolore a rifare la baracca del padre in quel bosco dove per anni aveva tagliato la legna. Quella casupola avrebbe portato a galla troppi ricordi e non era il caso. Certe memorie vanno lasciate sepolte per sempre. E quando premono per uscire come talpe dalla terra, bisogna dar loro un colpo in testa col badile e farle rientrare di corsa.

Quell'anno lì, nella primavera decisiva, aveva sessantun anni e voglia di mettersi in disparte. Fisicamente era ancora valido, anche se le bevute iniziate da bambino e mai terminate cominciavano a intaccarne la tempra di larice ossuto, impiantato su terreno ripido, nutrito di sostanza magra ed essenziale. Prima di sistemare la baita doveva comperarla. Il padrone era un vecchio ottantenne taciturno quanto bastava a temerlo, scontroso e solitario come i barbagianni. E, come i barbagianni, aveva gli occhi grandi e attenti. Braci rosse che rimproveravano l'anima, leggevano dentro l'uomo le malefatte che uno aveva combinato. Insomma, un tipaccio acuminato e storto, che incuteva paura proprio perché non gli si potevano contare balle. La trattativa fu rapida e sconcertante. Si svolse tra uomini per certi versi uguali e merita di essere raccontata. Quando due caratteracci s'incontrano si annusano come cani, dopodiché si ignorano o vanno a braccetto. Queste, più o meno, le parole del contratto.

«Mi vendi la baita?»

«Sì.»

«Quanto vuoi?»

«Poco.»

«Poco quanto?»

«Tre milioni.» Disprezzava l'euro, ragionava in lire.

«Domani si va dal notaio.»

«Niente notaio, non serve.»

«Come non serve?»

«A me non serve, ti do la baita senza notaio.»

«Ma... documenti? Carte? Il passaggio? Come faccio a dire che è mia?»

«Lo dici.»

«Senza un pezzo di carta?»

«Senza notaio, la carta la scrivo io.»

«Come posso fidarmi?»

«Basta che mi guardi in faccia. Coraggio, guardami in faccia.»

Il giorno dopo la casetta cambiò proprietario.

Intanto passava il tempo, l'uomo scorbutico lottava con delusioni e giorni negativi. Erano parecchi quelli negativi. Tutta l'esistenza era stata giorni negativi. La felicità lo faceva dannare, spesso era in conflitto con lei. Sarebbe stato così semplice andare d'accordo con la felicità. Ma la felicità, proprio perché tale, non va d'accordo con nessuno, se lo fa è per poco tempo. La felicità innervosisce, disturba, annoia, inquieta coloro ai quali si aggrappa. Questi se la scrollano via subito, nella maniera più incauta e sciocca. Salvo poi piagnucolare che non ce l'hanno più e invocarla di nuovo a ogni occasione. Tutto ciò potrebbe essere assolutamente normale: uno è libero di castrarsi come vuole, liberarsi dalla felicità quando e come gli pare. Il problema è che ogni essere umano, la felicità di ogni essere umano, dipende in gran parte dalla felicità degli altri. È una catena che avvolge il mondo, tutti dipendono da tutti. Per cui un individuo non può essere felice se la sua felicità dipende da comportamenti e stati d'animo di un altro. Se infatti, come accade, quest'altro si scrolla via la felicità per rendersi infelice, farà diventare infelice anche colui che dipendeva da quella felicità. Quindi, regola prima, infelicità mai dipendere da nessuno. A questo punto, uno che non dipende da nessuno, sarà felice? No, sarà un isolato, un individuo solitario e triste, privo di felicità, perché la felicità di ciascuno dipende soprattutto dalla felicità degli altri. Ecco il cane che si morde la coda, o la coda che frusta il cane.

A sessanta e passa anni, l'uomo intrattabile e vanitoso aveva capito perfettamente il meccanismo, per questo decise lo stesso di ritirarsi nella baita ed essere infelice. Lo sarebbe stato comunque vivendo tra la gente, tanto valeva essere infelice tra le piante, nei boschi, in quella radura isolata dal mondo e piena di silenzio. Lassù aleggiava il mistero. Nella casa sotto le lame di roccia viveva qualcosa da scoprire. Lassù dormivano cose tragiche, ricorrenti, puntuali e drammatiche in sogni paurosi che, notte dopo notte, lo avevano perseguitato fin da piccolo. Sempre quelli, sempre gli stessi sogni tremendi. E anche ora, nella vecchiaia, quegli incubi si ripetevano con cadenza impressionante. I sogni ricorrenti erano tre. Uno pieno di cadaveri, uno di acque profonde e violente che lo circondavano, uno con vecchie case, grandi e fatiscenti, zeppe di attrezzi per scolpire il legno. La morte era sempre presente nel cuore di quegli incubi che al risveglio lo rendevano pensieroso e inquieto. Sentiva che, dentro le orrende penitenze oniriche, si celava qualcosa della vita passata, dei suoi antenati, della famiglia intera. Una sarabanda di sorti tragiche, delitti e dolori antichi da lasciarlo senza fiato.

Il più cupo dei sogni era anche il più ricorrente: quello dei morti. Si ritrovava immerso in notti infami di un colore nero-azzurro peggio dell'inchiostro e lui, in tetri cimiteri, armato di piccone e badile, scavava fosse antiche per estrarne cadaveri di adulti quasi sempre con la carne ancora sulle ossa. Quella carne non era normale, pareva sapone. Un sapone giallastro e viscido, calcato sugli scheletri in strati spessi e scomposti. A quel punto, dopo aver fracassato le bare ed estratto i corpi, si metteva a strappare a brandelli la carne saponosa con le mani, gettandone i pezzi qua e là. Durante quelle operazioni orrende, gli serrava la gola un terrore insostenibile che incalzava la fuga a gambe levate. Ma una forza macabra lo costringeva a restare, a spolpare cadaveri di ogni età e sesso, mosso da una curiosità morbosa, come se volesse frugare tra quei corpi disfatti, trovare le loro anime, conoscere le loro vite passate, i loro tragici destini. Rare volte faceva sogni in cui i cadaveri erano ridotti a scheletri. Quasi sempre venivano scalzati dal sonno eterno con la carne putrida ancora sulle ossa e i volti contorti di terrore, orrendi e sfigurati da far accapponare la pelle. I sogni dei morti, come lui li chiamava, iniziarono a tormentarlo da bambino e, assieme agli altri, lo accompagnarono fino al termine dei giorni.

Il secondo sogno ricorrente apparteneva all'acqua. Non era acqua tenera o rilassante. Niente ruscelli gorgoglianti al canto del disgelo, circondati da erbe fresche e fiorellini in gemma. No. L'acqua delle visioni notturne era possente, tenebrosa, profonda e color della pece. Si muoveva a volte in cerchio formando vortici mostruosi, a volte filava via come un vento liquido, travolgendo tutto. E senza alcun rumore. Lui stava là, in balia di quel mostro maledetto che lo voleva ghermire. Quasi sempre si trovava su un'isola, un'unghia di terra, uno scalino, un coccio che a malapena lo sosteneva. Tutt'attorno il gorgo buio in movimento, torvo, cattivo, che emanava una forza da spazzare le montagne. Nel sogno, l'uomo cercava qualche via di scampo, un guado, un ponte, una scappatoia che lo traghettasse di là, al sicuro su una riva. Ma niente sporgeva o appariva a dargli una mano. Quell'acqua terribile dai fianchi poderosi, fonda e silenziosa, subdola e feroce nella sua forza immane, gli metteva addosso un'angoscia senza pari. Si svegliava ogni volta col cuore scardinato e un quintale di paura nelle ossa. Mai una volta che gli venisse concesso un passaggio di là, su qualche sponda asciutta e tranquilla. Dentro quei terrori amniotici non esisteva speranza. Se s'azzardava a tentare un salvamento, soltanto mettendo un alluce nel gorgo, veniva spazzato via come il tornado beve un filo d'erba. A volte, ma molto raramente, compagni di incubi e sventura erano amici da tempo passati nel regno delle ombre. Amici che tornavano dall'aldilà a dividere con lui il panico di quell'acqua rapace che voleva tirarli dentro, come se non avessero avuto paure da vivi. I sogni tremendi che sbilanciavano la testa di quell'uomo infelice non lasciavano in pace nemmeno i morti. I suoi amici morti.

Il terzo sogno ricorrente era un tantino più quieto, ma ancora senza scampo e privo di speranze. Le visioni oniriche avevano come sfondo l'imbrunire e proponevano sempre lo stesso tema: antiche case abbandonate, grandi e fatiscenti, dagli interni pieni di polvere con solai scricchiolanti e malsicuri. Tavoli, panche, sedie, letti recavano inequivocabili tracce di sangue rinsecchito. Tracce, percepiva l'uomo, di antichi misteriosi delitti. Ma la cosa che più lo inquietava non era il sangue incrostato, bensì il fatto che quelle erano state dimore di scultori. Lo testimoniavano centinaia di sgorbie ordinatamente lasciate sui banchi di legno, argentati dal tempo, o infilate nelle mensole forate a misura per accoglierle. Una luce azzurro chiaro illuminava sipari di esauste ragnatele pendenti dai soffitti, e ancora barbe incastonate negli angoli alti, donando a quegli interni abbandonati e polverosi un che di fiabesco, remoto mistero. L'uomo percorreva ed esplorava ogni stanza finché entrava in una camera particolare dove c'erano comò a cassettoni pieni di biancheria accuratamente impilata e ordinata. Maglie, giacche, camicie, calze, golfini, capi per neonati, abiti femminili, sete lunghe e scure parevano dormire un sonno malinconico senza fine. Il tutto riposto con ordine maniacale e precisione geometrica. Quei vestiti d'altri tempi odoravano lo stantio dei secoli ed emanavano un antico e stanco dolore. Comunicavano memorie di vite passate, l'accettazione muta di destini avversi che si manifestarono spietati a ritmi incalzanti annientando in pochi anni quelle famiglie un tempo felici. Erano abiti di morti, persone disperse nel nulla, scomparse dalla faccia del mondo e dimenticate. Ma, fissando quegli abiti, pareva che i proprietari dovessero tornare da un momento all'altro. Nell'incubo, sempre aleggiava la presenza di una vecchia, ultima testimone di un mondo scomparso. Prima di spegnersi a sua volta e diventare polvere, aveva messo in ordine il guardaroba dei suoi cari.

Nella camera malinconica, piena di comò a cassettoni, l'uomo veniva invaso da un dolore e una tristezza insopportabili. Allora usciva e andava a trovar conforto nel salone dove riposavano, in ordine come gli abiti, centinaia di sgorbie da scultore e altri attrezzi atti a quel mestiere ormai quasi dimenticato. Guardava affascinato gli utensili dopodiché, preso da un desiderio incontrollabile, li afferrava uno per uno, li rubava ficcandoli in un sacco e usciva furtivamente dalle case fatiscenti sognate fin da piccolo. A quel punto si svegliava in compagnia del sogno infranto, le mani vuote e la delusione di non avere quelle sgorbie che tanto gli piacevano.

Molti anni dopo, uno di quei deliri onirici si materializzò per davvero, e fu tale e quale lo sognava da bambino.

Si era messo in testa di fare lo scultore. Quel proposito perdurava da tempo nella sua testa. Aveva venticinque anni, beveva ed era uno spiantato attaccabrighe. Non teneva una lira perché non temeva l'azzardo. Tutto ciò che guadagnava sui cantieri lo lasciava nelle osterie, ma recuperò i vecchi attrezzi del nonno e iniziò a scavare tronchi.

Un giorno passò davanti alla grande casa sulla curva della strada dove a primavera fioriscono i maggiociondoli. Era abbandonata da anni, da quando in quella valle uomini sconosciuti provocarono il cataclisma. Solitaria e fatiscente come quelle dei sogni, era là che lo aspettava. S'arrampicò a raggiungere una finestra molto alta. Spinse sul vetro ed entrò. Il sole d'ottobre illuminava i solai scricchiolanti, pieni di polvere grigia, punteggiati qua e là dal pulviscolo d'oro dei tarli.

Il giovane perlustrò ogni stanza dell'antica dimora fatiscente. Trovò i comò pieni di abiti e biancheria, proprio come nei sogni. In un camerone posto verso nord, sparse sul piano di un banco da falegname, una trentina di sgorbie di ogni forma e misura lo guardavano come se lo stessero aspettando. In quel preciso istante capì che nella vita tutto ha senso e l'onirico viene e si materializza sempre al momento giusto. Basta aspettare. Bastava aspettare e sarebbero diventati reali anche i morti dei sogni, cavati dalle fosse, e le acque vorticose senza scampo e senza guado. Rubò quelle sgorbie ossidate dal tempo, le affilò e diventò scultore.

Adesso, a sessantun anni suonati, attendeva si facessero realtà quegli altri incubi. Ormai era tempo, era ora, non s'illudeva che i morti e l'acqua lo avrebbero risparmiato, tramontando in fumi eterei senza diventare forma e materia. Non aveva paura. Semmai lo impensieriva il dolore, non riusciva ad allenarlo, farlo leggero, piegarlo in forma sopportabile. Un individuo non è felice quando per esserlo rende infelici altri. In quel momento si presenta il dolore. Ma piano piano, un po' alla volta, accoglie gli anni nel palmo della mano, lima, raspa, leviga l'uomo come l'acqua corrente leviga il sasso. Un sasso nella corrente. Questo era diventato quell'uomo iracondo e insoddisfatto. Una scheggia provvisoria, fortunosamente scampata alla morte, ormai priva di spigoli, lame e punte. Un ciottolo smussato, bugnato, leggermente informe, che non poteva più ferire di taglio ma solamente col proprio peso. E quello usava. Si può far male adoperando una pietra levigata, non solo col coltello.

Rivedeva sprazzi di antica, rara felicità dentro il volto di lei che, giorno dopo giorno, preparava il silenzio tombale di quella stanza in penombra. La gioia stava nella tana, nascosta nel buio della follia. Lui aspettava. Aspettò finché apparve ciò che in modo brutale cambiò la sua vita. Da quel momento, per tutto il tempo che gli restò si fece pensieroso e cupo, impaniato nel pensiero fisso di quella visione.

La faccenda iniziò ai primi di settembre. Aveva sessantadue anni. I giorni si annacquavano nel tira e molla delle incomprensioni, delle risse con tutto e tutti, dell'esistenza a fisarmonica. Bastava così. Una mattina decise che era venuta ora di sistemare la baita e sparire. Preparò il necessario per il primo intervento, badile e piccone, scure e falce, attrezzi fondamentali per far rivivere la casa dispersa nella radura. Alla fine aveva ceduto alla spossatezza. Difendersi, prevenire mosse, combattere, non se la sentiva più. Essere sempre ai ferri corti con la vita lo aveva estenuato. Il "buon combattimento" di san Paolo stava per concludersi, era venuto tempo di gettare le armi, abdicare, sedersi, diventare re di se stesso. Si premurò di avvertire che nessuno facesse congetture strane. Sarebbe semplicemente salito alla radura, nella baita misteriosa, a fare ciò che aveva in mente da anni. E che forse avrebbe dovuto fare prima: sparire. Attaccò i lavori con decisione e brio, come tutti coloro che credono fermamente in un obiettivo. Non ci ripensò né tornò indietro. Lassù lo aspettava il destino.

La baita pareva dirgli: "Avanti, comincia". L'uomo afferrò il piccone e lo alzò nell'aria. Doveva abbattere l'intercapedine di calce e sassi che si frapponeva tra due muri portanti, atta a separare la stalla dal vano che in età remota era stato cucina. Si mise a picconare con forza, aveva bisogno di spazio, doveva ingrandire la stanza, voleva fare in fretta. Dopo averne abbattuta metà, spostò i calcinacci a carriolate, poi riprese la danza del disfare. A un certo punto fece leva col piccone e una grossa fetta dell'intercapedine venne giù di schianto. Tra la polvere del crollo rotolò verso la luce un odore di sterco e tra la polvere apparvero alcune figure strane. Si trattava di botoli color marrone chiaro, per esattezza tre, dalle sembianze inequivocabili. Avevano forme umane, erano tre mummie. Tre mummie di donne nude dai volti spaventosi. Volti allucinati, deformati non dall'azione essiccatrice del tempo, bensì da un terrore mostruoso rimasto incollato alla pelle nel momento della morte. Quelle donne, dall'apparente età di trent'anni, erano state uccise, alcuni particolari lo rivelavano chiaro. Fatte fuori in modo brutale e molto lentamente. I corpi tenevano piedi e mani serrati in legacci di virgulto attorcigliato e tre ferri, lunghi e sottili come quelli da maglia, arrugginiti e incrostati, trapassavano i loro seni nel verso orizzontale.

L'uomo rimase sconcertato, spaventato, incredulo. Il secondo dei sogni che lo accompagnavano sin dall'infanzia si stava avverando. Nel momento della resa dei conti era là che estraeva cadaveri, anche se non proprio da una fossa. Dopo l'iniziale sbalordimento, si chinò su quei poveri corpi per una prima, sommaria indagine. Stimò che fossero nascosti nell'intercapedine da almeno centocinquant'anni. Un secolo e mezzo di morte chiusa là dentro nel silenzio e nella solitudine del mondo, senza che nessuno sapesse nulla. Chinatosi ancor più vicino alle mummie, che parevano di cuoio conciato, storte nella contrazione di orrendi spasimi, notò alcuni particolari raccapriccianti. Tutte e tre avevano una fibbia di cintura infilata nell'alluce del piede sinistro. Tutte e tre portavano indelebili, sulla schiena e sul davanti, segni che parevano geroglifici. Tagli e fori impressi senza dubbio alcuno da una punta di coltello. Una punta affilatissima aveva scritto qualcosa sul corpo di quelle povere donne. Si trattava di segni piccoli, fitti, curvi o dritti, corti, tutti collocati in linee orizzontali. Era una scrittura, una forma di scrittura antica, misteriosa e indecifrabile, forse voleva raccontare una storia. Magari proprio la vicenda di quelle donne barbaramente trucidate. Non da colpo secco e unico, bensì da una interminabile, insostenibile tortura, praticata freddamente dall'assassino per incidere sulla pelle il martirio di una verità che prima o dopo il mondo avrebbe dovuto sapere. O, più probabilmente, erano soltanto il prodotto della macabra fantasia dell'assassino che aveva voluto infierire in maniera atroce sulle vittime e farle morire lentamente con spasimi strazianti. Due di quei corpi erano smangiati dal tempo, il terzo era integro.

Un altro particolare attirò l'attenzione dell'uomo ormai in balia di un'inquietudine senza controllo: dal sesso mummificato delle donne fuoriusciva il gambo di un fiore strano, scolpito nel legno da mano eccezionalmente abile e precisa. Erano fiori sconosciuti, che non aveva mai visto, nemmeno su libri o enciclopedie. Fiori che parevano minuscoli volti umani con petali cadenti a mo' di capelli. Allora quell'uomo sopraffatto da tutte le emozioni si spaventò. Ricordò i racconti orrendi del vecchio amico bracconiere e capì che forse non erano il prodotto di allucinazioni, bensì segnali che invitavano a indagare e chiarire il mistero. Adesso toccava a lui farlo. Ma, per il momento, aveva una faccenda da concludere: doveva preparare il nido dove nascondersi dal mondo, covare in pace la vecchiaia e far nascere, pian piano, l'accettazione serena della morte. Così ricollocò le mummie, per altro leggerissime, in quel che restava dell'intercapedine, tornò il giorno dopo con malta e cazzuola e le murò di nuovo. Quelle povere donne, pensava, avevano rivisto il cielo dei loro tempi uguale a come era stato allora. Lo avevano visto per poco, dopo centocinquant'anni di buio e mistero. Era sempre lo stesso cielo e l'uomo si convinse che nel mondo tutto cambia tranne le remote lontananze che vegliano dall'alto sulle interminabili pene degli uomini. Le tre donne cambiarono la sua vita, cambiarono il suo modo di vivere e pensare. Ma questa è un'altra storia. Una storia ormai conclusa, messa nero su bianco e depositata da qualche parte. Una storia pronta a venire alla luce, come le salme mummificate, una volta che l'ultima picconata lo avesse tolto dalla faccia del mondo.

Stava preparando la tana per rinchiudersi, sparire, fermarsi una buona volta, mentre scopriva che fermarsi non era possibile. La terra camminava coi passi dei giorni, lunghi, inesorabili, e una scarpa tra i miliardi di scarpe della terra era lui. La terra non si sarebbe fermata. Lo avrebbe costretto a camminarle accanto, anzi sotto, poiché era una semplice scarpa, come tutti gli esseri umani. Una scarpa ormai logora e scalcagnata, pronta da gettare via poiché la terra, nel suo lento andare, non sopporta il mal di piedi e sostituisce calzature vecchie con nuove. Giovani, bambini, neonati, saranno le future scarpe della terra che cammina, mentre le vecchie, consumate, stanche di passi e vita, finiranno nelle discariche del nulla e dell'oblio.

I restauri alla baita procedevano con la lentezza delle notti autunnali. Quando capì con certezza che non sarebbe tornato indietro, che avrebbe tagliato i ponti col mondo, un poco si avvilì. Stava attraversando un periodo assai fortunato sia dal versante professionale e più ancora da quello della visibilità. Era diventato un uomo noto, conosciuto, cercato, evitato, un po' amato, un po' invidiato e pure odiato. Questa notorietà lo aveva elettrizzato perché, a differenza di altri, era nata da lavoro e farina del suo sacco e di questo andava orgoglioso. Giornali e televisioni lo cercavano, pure qualche salotto buono se lo contendeva e lui ne gioiva, sornione. In fondo era quello che aveva sempre cercato. Ora, con la drastica scelta dell'isolamento, queste belle cose, peraltro molto effimere, gli sarebbero venute a mancare. E non era piacevole per un vanitoso perdere di colpo cose belle ed effimere. Un vanitoso che, seppur con mezzi leali, aveva rincorso strenuamente il successo per tutta la vita. Ora che lo aveva raggiunto decideva di lasciare tutto? Una scelta simile non era facile, specialmente mettendola in pratica di botto, da oggi al domani. Ma ormai aveva deciso: sarebbe salito lassù per rimanerci. Semmai ne avesse sentito il bisogno, poteva sempre calare a valle, nelle città, e rotolarsi un poco nella gloria. Il favore e il fervore del pubblico gli iniettavano autostima, mantenevano il suo orgoglio, ravvivavano il personaggio. A differenza di Salinger, che si eresse a mito evitando le folle e sottraendosi all'occhio umano, lui voleva apparire. Ce la metteva tutta. E ce la faceva.

Intanto, una settimana alla volta, la baita stava rinascendo. Ma non passava centimetro di giorno in cui l'uomo non pensasse alle mummie torturate. Stavano dentro la tana a spiarlo, seguivano i lavori, sentivano il suo respiro, passavano le notti imbozzolate nell'intercapedine. Chi era stato a martoriare quelle donne? Chi a murarle dopo averle uccise? Perché due portavano addosso l'usura del tempo e una era integra, con nitida scrittura di tagli sulla pelle? Forse, pensò, quella donna aveva voluto conservarsi affinché un giorno qualcuno la trovasse, decifrasse le incisioni, rivelasse al mondo ciò che era stato. Ma perché le altre no? L'uomo pensava, rifletteva e lavorava. Lavorava sotto la presenza inquietante di tre cartocci umani dai volti orrendamente spaventati. Ma seguitò nell'impresa costruendo innanzitutto un tetto nuovo. L'originale era crollato da oltre un secolo, salvo uno spicchio rimasto misteriosamente incolume sopra la tomba delle donne rinsecchite. Una volta terminata la copertura, l'uomo si fornì di sacco a pelo, torcia elettrica, viveri di prima necessità e incominciò a trascorrere le notti nel luogo scelto a dimora terminale.

Era un settembre malinconico, prodotto forse dall'età avanzata che obbliga a pensare e fa vedere cose che finiscono: l'estate, la gioventù, la vita. Sensazioni che non lasciano speranze né indicano prospettive. Fanno solo brillare la scelta di vivere alla giornata nell'attesa del salto finale. La natura attorno a lui era pacifica e questo lo rincuorava, lo aiutava a stare meglio. I boschi s'attorcigliavano nel silenzioso sbadiglio dell'autunno, pronti per mettersi a dormire. Le foglie rivoltavano i vestiti, tiravano fuori le parti colorate. I corvi imperiali facevano cra lasciando ogni tanto cadere una penna che scriveva nell'aria la loro autobiografia. I cervi bramivano sotto le stelle, lottando per una compagna. L'uomo, che di notte non dormiva, tendeva l'orecchio alla natura. Udiva gli schianti secchi delle corna che i maschi picchiavano l'uno contro l'altro per conquistare il dominio dell'harem. Udiva qua e là lo schianto di un vecchio albero che s'era lasciato andare. Certe sere fioriva una luna maestosa che illuminava i boschi e la casupola versandovi sopra il suo miele dorato di pace e dolcezza. Miele amaro per l'uomo. Miele di nostalgia. Tornavano le cose perdute, passate oltre, finite. Tornavano i sogni impossibili, non realizzabili se non a prezzo di dolore altrui. Tornava il ricordo dei compagni di strada, andati via da tempo, vinti, uccisi da sofferenze e inciampi di ogni genere. Sotto quella luna malinconica, l'uomo tirava somme, guardava in faccia la vita, forniva bilanci a se stesso. Sotto quella luna da resa dei conti anche lui un giorno sarebbe scomparso, dimenticato, polvere di memoria dispersa. Meglio chiudere in pace e senza odio le porte del mondo, andare via.

Sotto la luna ammonitrice di notti inquiete, s'accorgeva di aver sbagliato. Non tutto, ma tanto sì. Schermaglie, beghe, ripicche, sfide, guerre, gli ingredienti negativi con i quali aveva condito l'esistenza erano stati solo perdita di tempo. Veleno per corpo e anima. Era un uomo avvelenato, intossicato dal suo vivere e da quello degli altri.

Lassù intendeva liberarsi di sé e della voce del prossimo. Lassù ascoltava altre voci. Ogni tanto una foglia s'arrendeva, si staccava dal ramo e cadeva solitaria nel cuore della notte. Faceva tech poi si fermava ad aspettare il vento. In quel silenzio perfetto, l'uomo udiva la terra che tremava al cadere di una foglia nel suo grembo. Nelle ore più tarde arrivavano gufi, civette, allocchi e barbagianni. Si posavano a rantolare sul tetto della baita e sugli alberi d'intorno. Volevano capire chi fosse l'intruso apparso a disturbare il sonno antico delle mummie, a invadere le loro notti di uccelli senza pace. Le tenebre occultavano gli autori di quelle sinfonie tristi, di quei gridi rauchi e desolati. Suoni fatti di singulti, rantoli, soffi e belati, cadevano sulla baita col fruscio lamentoso di una pioggia d'aprile. Quelle erano notti! Notti conosciute dall'infanzia, spiate lungo la vita, compagne di viaggio, tastate, palpate, spesso trascorse all'aria aperta fino all'età matura, quando dimenticò le stagioni per inseguire il successo.

Ma ora tutto tornava. L'uomo ricordava. Confrontava la memoria di allora con il presente, ottimo esercizio per spremere qualche lacrima. Un tempo quelle voci, le voci dei boschi notturni, lo entusiasmavano, gli davano forza, allegria, esuberanza. Lo rendevano sicuro, pronto ad andare avanti nella selva intricata della vita. Ora non più. Ora le voci del bosco di

notte lo intristivano, soprattutto d'autunno, quando
le erbe chinano la testa. Lo facevano riflettere, pensare. Lo mettevano di fronte a quel che era stato, al
poco che rimaneva. Lo facevano arrendere, come se
nulla più avesse senso, come se il domani, o il giorno
dopo, non dovessero nemmeno spuntare. Le amava
ancora le voci dei boschi, ma adesso cantavano un'altra nenia. Eppure erano le stesse voci degli anni lontani, quando ragazzino andava a caccia col nonno,
col padre, coi vecchi bracconieri che gli spiegavano
come si fanno i bambini, abbattendo con crudezza
e senza giri di parole la cicogna e tutte le balle udi-
te in famiglia. Le voci erano le stesse ma lui no. Lui
era diverso, invecchiato, deluso, incattivito. Non poteva sentirle come allora, non poteva fingere, ascol-
tarle come se niente fosse cambiato, niente fosse successo, come se non fosse passato tanto tempo. Erano
momenti di cedimento, debolezze di realtà inconfu-
tabili, delusioni, ferite continue. Invecchiare accumu-
la ferite, porta conseguenze. Tante. Nelle notti alla
baita, a volte, quell'uomo stanco credeva di non arrivare all'indomani. Allora reagiva, si scuoteva, ripi-
gliava grinta. Sapeva che il suo domani sarebbe comparso all'alba col nuovo giorno, come da sessantadue
anni, col silenzio dei rapaci notturni e il canto degli
uccelli. Un nuovo giorno, soltanto un nuovo giorno,
ecco cos'era la sua vita nel momento della scelta del
ritiro. Un giorno dopo l'altro, consumato nell'attesa
di quello nuovo, senza progetti, programmi, sogni o
aspettative. Affrontare il giorno con le mani, mettergli la cavezza e condurlo al pascolo con buone ma-
niere, fino a sera. Nient'altro, niente di più.

Alla baita lavorò senza fretta. Con calma adopera-
va il tempo rubato alla vita pubblica, al lavoro, alle

conferenze, alle comparsate televisive. Rincorreva premi e riconoscimenti che reputava indiscusse testimonianze di talento. Siccome non credeva molto in ciò che faceva, aveva bisogno di conferme, certificati di qualità provenienti da addetti ai lavori, specialisti di settore i quali non apprezzavano né capivano la sua opera perciò gli conferivano premi. Forse per farlo stare buono. Era uno che rompeva i coglioni, meglio tenerlo buono. A fama e gloria ultimamente aveva sacrificato un poco, forse troppo, ciò che aveva più caro: la montagna. I tempi in cui saliva alle vette trecento e più giorni all'anno erano lontani, ma ancora li intravedeva lassù, tra le nebbie opalescenti della fama. Perciò si teneva allenato, stava in forma, sapeva che un giorno sarebbe tornato là da dove era partito. Non mancava molto.

Quando poteva, passava giorni nel restauro della baita. Voleva completare i lavori urgenti, più necessari alla permanenza in loco. Era sua intenzione operare un tentativo audace che sapeva sarebbe fallito in partenza: trascorrere l'inverno lassù, sotto le rocce a coltello, con l'unica compagnia di un cagnolino, una pila di libri, penne e quaderni e le sgorbie. Doveva essere una specie di prova, un collaudo psicofisico, il test per verificare se veramente era ferrato per un eremitaggio senza ritorno. Dentro percepiva che ancora non lo era. Troppe cose avrebbe dovuto buttare. L'esercizio intero di una vita avrebbe dovuto lasciarsi alle spalle. E così repentinamente da spaventarlo. Anche se il sacco era pieno, e aveva eccellenti motivi per sparire, maturati in sessantadue anni di riflessioni sull'impossibilità di vivere in armonia con gli altri, mettere in pratica la fuga da oggi a domani era impresa alquanto ardua. Ma voleva provarci, fare almeno un tentativo per scoprire chi era, come avrebbe reagito.

Era soltanto questione di testa, lo sapeva, doveva allenarla. La testa ha bisogno di rodaggio per scrollarsi memorie d'esistenza, liberarsi da un tipo di vita innestata nel cervello per oltre sessant'anni, rinchiusa nella cornice sociale del "così deve essere e così si deve fare". La testa. Solo lei decide quando è ora di mettere fine a un'abitudine: fumare, bere, drogarsi, cambiare vita. Se la testa non è convinta e dice no, tutto diventa impossibile, perfino cibarsi. Ma se dice sì, non esistono ostacoli di sorta, nessuna difficoltà le farà cambiare idea.

Intanto l'uomo seguitava a campare in società battagliando col mondo e con chi gli dimostrava affetto. Ne approfittava per sfornare lavori e mettere da parte un po' di soldi in previsione della temuta vecchiaia. Metti caso che un ictus lo avesse storpiato malamente costringendolo alle rotelle il resto dei giorni, voleva almeno pagarsi i pannoloni e una badante. Possibilmente anziana, di modo che non si mettesse a stuzzicargli nemmeno la memoria, dal momento che l'apparato fisico genitale sarebbe stato spento assieme al cervello. A dire il vero temeva assai questa spaventosa possibilità e sperava vivamente di non doverla sperimentare. Ma siccome da sempre, e in maniera granitica, aveva fatto suo il motto "non si sa mai", nella sciagurata, beffarda eventualità che fosse capitato l'inciampo da carrozzina, s'era comprato un revolver e lo teneva, legalmente denunciato, sotto la panca dove dormiva. A maggior sicurezza, aveva pure un automatico Franchi calibro dodici e una carabina Magnum ventidue lunga, armi letali ereditate dal padre il giorno dopo la sua morte, pure quelle regolarmente detenute e iscritte in porto d'armi. Ogni tanto gli veniva in mente l'eredità famigliare e non poteva fare a meno di riflettere. Pensava, e ne era convinto, che ognuno lascia agli altri ciò che è. Suo padre, in vita accanito uccisore di animali, e per poco della moglie e quasi dei figli, lasciò a questi ultimi mezzo furgone di armi e una santabarbara fornita. La madre, donna martirizzata, tenace lettrice e guerriera sconfitta, dotata di intelligenza e buona cultura, gli aveva lasciato una stanza piena di libri. Il nonno, uomo laconico da far cadere le braccia, ma abilissimo artigiano, gli aveva lasciato i suoi attrezzi: pialle, scalpelli, asce, trivelle, qualche sgorbia. Non gli aveva lasciato, invece, quella che il vecchio aveva da vendere: l'arte di tacere. Ora, a sessantadue anni passati, barba bianca e bilanci amari, ricordava benissimo che, in fin dei conti, da bambino era partito per la vita con quelle robe lì. E ora le aveva ereditate. L'uomo, se mai ce ne sia qualcuno che ci prova, non riesce a migliorare il carattere, gestendo quell'eredità, correggere istinti, impulsi, assopire paure, smantellare quella bestia infame del proprio io. A dire il vero ci provano in pochi. Diventare migliori non serve. Gli uomini sono convinti di rappresentare la perfezione e reputano tempo perso lavorare di lima su se stessi. Mai nessuno che si metta in dubbio, che non si piaccia, che si faccia schifo. Tutti simboli di compiutezza assoluta, quindi perché sforzarsi a migliorare quando si è già perfetti? Pure ladri e delinquenti si vedono bene e a posto. Lui invece si faceva schifo. Non proprio ogni giorno, ma per la maggior parte dell'anno non si piaceva e allora cercava in tutti i modi di rendersi migliore. Alla fine, desolatamente, rimaneva quello che era. Tanto valeva non provarci nemmeno, come gli altri. Se messo alle strette, stuzzicato, provocato, offeso o quant'altro, reagiva da vecchio cerbero, con la natura impulsiva, vendicativa e spietata che lo connotava. Non migliorava, invecchiava e basta. Stanco di tentativi, cimenti nel nulla e fallimenti, aveva deciso di tacere. Nei periodi tenebrosi e cupi, alla fine sempre più frequenti, si chiudeva in un mutismo assoluto, protratto a volte per settimane. Frequentava bar, osterie, luoghi pubblici senza proferir parola, nemmeno un "ciao". I passanti lo riconoscevano, ormai era un volto noto, un fingitore di saggezza. La gente lo fermava, lo salutava, gli poneva domande, lo invitava a bere. Lui, neanche una piega! Fissava l'interlocutore come a chiedergli scusa, ma voce niente. I primi silenzi non mancarono di suscitare imbarazzo e vivaci rimostranze da parte degli interlocutori. Poi, piano piano, nella cerchia dei conoscenti, fiorì la convinzione che fosse diventato pazzo. Qualcuno iniziò a preoccuparsi. Durante un mutismo piuttosto lungo, alcuni amici, quelli che stavano sulle dita di una mano, glielo fecero notare. Azzardarono che forse era opportuna una visita. Insomma, farsi dare un'occhiata dallo strizzacervelli non sarebbe stato male. Allora, l'uomo dalle labbra cucite e la lingua mozza, parlò. Li insultò come mai aveva insultato nessuno fino a quel momento. Li minacciò di morte, li offese, li sputtanò e alla fine li invitò perentoriamente a impicciarsi dei cazzi loro. Da quella sfuriata ottenne una sola cosa: il fulmineo distacco degli amici dalle dita della mano. Che ci stavano a fare con uno così? Egli se lo aspettava. Era certo che, alla resa dei conti, di fronte a una prova aspra, sarebbero caduti da quella mano come pere mature. Ne avevano tutte le ragioni. Forse non erano amici. Nemmeno lui era

153

amico altrimenti non avrebbe reagito maltrattandoli e infierendo con cinica ferocia. A pensarci bene, col senno di poi, quelli delle dita di una mano avevano visto giusto. L'uomo, nei silenzi prolungati e negli scoppi d'ira, manifestava le prime avvisaglie di una follia che esplose in tutta la sua virulenza quando gli si svelò il mistero delle donne mummificate.

Mentre sistemava la baita pensava a loro, alle mummie. Nei fine settimana spesso teneva conferenze, durante la settimana scriveva. Raccontava storie per non spararsi. E anche per sfondare, diventare qualcuno, appagare l'orgoglio, la vanità di farcela con le sue forze. Nient'altro. Era anarchico di natura. Voleva lavorare senza sottostare a padroni né timbrare cartellini. Anche se, da giovane, quelle cose le aveva sperimentate a lungo nei lavori più infami. Ricordava suo padre, uomo finito prima di esser cominciato. Sempre in bolletta, sbronzo, iracondo, senza lavoro, mai che portasse una paga per mangiare come si deve, avere dei libri, una cartella decente, andare a scuola. Il figlio aveva voluto riscattarsi, farcela, uscire dal pantano e dal ricordo del pantano. Solo l'idea di assomigliare al padre lo inorridiva, mai avrebbe voluto avvicinarsi ai parametri di quel genitore sciagurato. Ricordava i vecchi manovali che lavoravano nei cantieri e lui, giovane galletto baldanzoso, che imparava il mestiere. Badilare è un'arte raffinata. Ricordava gli anziani minatori alla cava di marmo, sfiniti, disossati dalle fatiche, bolsi di silicosi. Uomini che, uscendo dalla baracca alle sei di mattina, rivolgendosi al giovane dicevano: «Andiamo a invecchiare, andiamo a crepare». Anche lui era avviato su quella strada. Poi, per un qualche miracolo, o per sua volontà, aveva sterzato, fatto dietro-front, percorso strade diverse. Gli era andata bene. I tempi di miseria, di fatiche e privazioni erano ormai lontani. Ma non era contento e neppure sereno. Invecchiando, scrutava il versante dell'anima e capiva che era stato sforzo inutile. Non si era riscattato da niente, aveva solo fatto un po' di fortuna, gli era caduta addosso qualche gloria. E basta. Non si scappa da quel che è successo, non vi è riscatto che cancelli le ombre del passato. Si era tolto dal pantano, ma non dal suo ricordo. Esso viveva ovunque, pesante e oscuro, con la mano di piombo che gli premeva il petto. Certe notti il ricordo tornava più vivo e non lo lasciava dormire. Allora diluiva la memoria fastidiosa nel vino, nella fatica, nel lavoro. Camminava, correva, saliva montagne, scarnificava tronchi cavandone figure sempre più tragiche e allucinate.

Solo ogni tanto, quando una goccia di serenità gli cadeva addosso, come acqua sul ferro rovente, riusciva a infilare nell'albero maternità misteriose dai volti affettuosi e buoni. Succedeva di rado ma quando capitava, quelle mamme col bambino erano vive. Erano lui e sua madre, entità quasi sconosciuta, della quale non ricordava una carezza e nemmeno l'esser raccolto in braccio. In quei rari momenti di luce faceva apparire nel legno ciò che non era accaduto nella vita. Costruiva figure, simulacri di ciò che gli era mancato. Una vasta collezione di no. Lottava contro il disamore e la negativa sorte del passato creando personaggi positivi. E personaggi da incubo a riprova che il passato lo cercava e non riusciva a spingerlo via. Esso era là, presente e vivo, nel bene e nel male come una spina sotto il piede, fino al termine dei giorni.

Prima di tirare i remi in barca, voleva togliersi alcune soddisfazioni non facili e altre ancor più audaci, pensabili solo da un esaltato, una personalità fortemente disturbata e vanitosa. Gli obiettivi del futuro contribuirono a farlo combattere, crearsi spazi, sgomitare, tirare cornate, spintonare, insistere. Soprattutto là dove i fallimenti risultavano costanti. Era, in fin dei conti, un povero diavolo di indole buona, spesso tollerante, generoso e disarmato. Fu l'esistenza a mettergli in mano le armi, e imparare a usarle gli aveva fatto capire, da subito, che per stare a galla occorreva diventare freddi e calcolatori. Là dove il salvamento impone l'azione non bisogna tentennare. Nessuno regala niente. La vita, soleva dire, è una signora che passa veloce con in mano una cesta piena di roba. Non grida per farsi notare, né offre nulla, passa e basta. Allora bisogna allungare la mano, arraffare quel che si può, quel che capita, quel che s'impiglia tra le dita. Solo così, rubando, osando allungare le zampe, si può strappare qualcosa alla vita che nel frattempo passa e va, con la cesta piena di roba.

Erano trascorsi alcuni anni. Cinque? Sei? Quattro? Di preciso non ricordava. Forse cinque. Quando capì che stava per concludere il restauro della baita, si fermò. Non voleva finire completamente. E poi? Che avrebbe fatto dopo? Quel lavoro di artigiano antico lo teneva impegnato, concentrato, gli faceva muovere mani e cervello. Lo teneva lontano dal paese, dalla gente, dalla fama e dai casini conseguenti a essa. Inoltre, se l'avesse completato, si sarebbe affacciata a chieder conto la promessa del ritiro e questo lo angosciava un poco. Infatti, alle porte di quell'inverno che aveva deciso di passare lassù nel silenzio dei boschi addormentati, aveva cambiato idea. Aveva accantonato scelte di eremitaggio e solitudine per bazzicare salotti buoni, meno buoni e cattivi. Tutto in funzione di imporre la presenza, far udire il suo verbo strampalato di predicante bene e razzolante male.

Durante i cinque anni prima del ritiro, ma forse erano quattro o sei, ottenne quasi tutto quel che s'era prefisso. Non ottenne invece ciò che sperava: scrollarsi di dosso invidiosi, detrattori, falsi amici e fasulli estimatori. Quelli crescevano a vista d'occhio. Alla fine si rassegnò. Capì che la fauna detrattiva accompagna l'esistenza di ogni essere umano, dal momento che ogni essere umano invidia o disprezza il proprio simile. Allora accettò quel che capitava. Illudersi di scampare all'invidia degli uomini era come andare al mulino e pretendere di non uscirne infarinato. Nell'ultimo spicchio di presenza sociale, dentro quei quattro, cinque o sei anni, gli era andata bene. Un destino benevolo aveva cominciato a tenerlo sottobraccio. Lo aveva condotto a passeggio sui sentieri di soddisfazioni professionali condite da riconoscimenti e medaglie. Patacche a volte di eco nazionale. La sorte, rappresentata da facce esangui di critici, giudici, giurie e altre razze di convenitori nemmeno troppo occulti, conferì all'inveterato cacciatore di gloria i premi più ambiti. Tranne, ovviamente, il maggiore, per quello c'era tempo.

Ora, consolidati prestigio e fama utili a far pascolare la vanità, esser riconosciuto per strada, agevolato in faccende altrimenti fastidiose e bere vino migliore, poteva ritenersi appagato. E un pochino lo era ma non del tutto. Di pari passo alla notorietà, cresceva in lui la consapevolezza di una realtà che ormai conosceva da tempo: era un uomo solo. Un individuo mal compiuto, complicato, attorcigliato. Uno che, come Ibsen, lottava strenuamente contro i suoi fantasmi. Quando chiudeva la luce per cercare, nella pace di un sonno latitante, la tranquillità che gli mancava dall'infanzia, scopriva di non possedere nulla. Solo qualche attestato, una ciotola di patacche e una grande collezione di fallimenti. Sulla panca francescana del suo studio, caotica tana di ragnatele, confusioni e incertezze, e più tardi nella baita delle donne secche, ricettacolo di incubi e rimorsi, s'accorgeva che, agli occhi del mondo, era un essere perfettamente sconosciuto. E, in certi angoli oscuri dell'anima, persino ignoto a se stesso. Tutta la recita degli ultimi anni, l'accurata impalcatura eretta per avere fama e gloria, perciò impostata al compromesso, all'adattarsi, alla pazienza di aspettare il suo turno, stava crollando senza pietà. E crollò. L'uomo rimase nudo. Finalmente poteva riconoscersi, partire da lì, andare oltre. Abbandonare quel tanto che era stato di bene e male, proseguire dentro il poco che restava. Lassù, sotto le lame di roccia, nella baita del mistero, solo e silenzioso avrebbe atteso la fine del percorso. Visto che non poteva realizzare appieno ciò che lo avrebbe reso, se non felice, almeno sereno, meglio rinunciare a tutto. Rinunciare a tutto non era facile. Prima bisognava dimenticare quel tutto. Solo così i fantasmi della memoria non sarebbero venuti a tentarlo, tormentarlo, fargli rimpiangere le cose volutamente lasciate. Ma poteva abbandonare la vita? Le speranze? Poteva dimenticare gli occhi rassegnati e stanchi di un'esistenza vissuta a morsi, a spizzichi e bocconi come un ladro in fuga, un barbone in attesa di elemosina? No che non poteva, non ne sarebbe stato capace. Allora lasciò che l'esistenza gli cadesse addosso e scivolasse via. Se capitava incontrava l'amore, altrimenti tirava oltre, preoccupato solo da una vecchiaia non cosciente o da qualche malattia che lo consegnasse a morire in mani altrui.

Il tempo è un maestro eccellente, insegna la vita facendola accadere, non indicandola col dito o con chiacchiere. Ciò che ne risulta viene chiamato esperienza, lui preferiva chiamarlo memoria. Memoria di passato. Solo così poteva far tesoro di quel che era successo senza cadere nello sconforto. Rovistando nel cumulo degli anni, l'uomo camminava all'indietro. A vedere ciò che si erano portati via. Non sognava più né temeva il futuro.

Fatti alcuni bilanci, di tempo gliene restava poco. Lo sapeva. Sapeva che stavano per arrivare stagioni di abbandono e lentezza, disfacimento di corpo e anima. Di tutto. Era stato un lampo e si trovava alle porte del nulla, al termine del combattimento, arrabbiato, finito e sfinito, stanco di lottare coi propri simili. Era pronto al grande passo, nascondersi in attesa della morte. Avvertì gli intimi che stava per sparire, non lo cercassero, sarebbe andato in un posto tranquillo dove nessuno gli avrebbe reso amari gli ultimi anni. Ogni tanto, forse, sarebbe comparso per far provviste, o per qualche necessità, ma non era detto. Aveva ceduto al dolore di esistere, all'impossibilità di essere compiuto.

Dall'altra parte del mondo, una donna in penombra stava cedendo alla vita, all'incapacità di farla andare come avrebbe voluto. Anche lei stava mollando il genere umano e le sue ipocrisie. Si ritirava nella tana, una cripta concepita dentro la stanza più buia della casa. Un letto, il bagno, la minuscola cucina, e il tempo che rimaneva ad agganciare immagini, visioni di giorni lontani. Ricordi sbiaditi che si perdevano, diventavano assenti. Assenti giustificati: non sarebbero tornati più. Non per la fuga ma per la testa che abdicava. Allontanava da sé il dolore. Il passato apriva ferite, rimorsi, rimpianti, nostalgie. Meglio perderlo, lasciare ogni controllo, farla finita con ciò che era stato.

L'unico metodo per produrre l'oblio consisteva nell'annientare la memoria, cacciarla, liberarsene come buttare uno straccio dietro le spalle. In poche parole, inventarsi un cervello privo di senno. Così, le povere anime potevano reggere la vita rimanente senza pagare ancora la tragedia a volte insopportabile di stare al mondo. Nel voluto ritiro, l'uomo avrebbe perduto parecchie cose. Ogni scelta è come un trasloco, si perdono oggetti, altri si ritrovano. Improvvise, nascono idee, progetti, sogni mai pensati. E tristezze. Ritirandosi, l'uomo avrebbe escluso ogni contatto con le persone che gli volevano bene, avevano stima di lui, desideravano avvicinarlo. Scegliendo l'eremitaggio le allontanava, facendole soffrire. Piano piano sarebbero appassite, sbiadite come foglie d'autunno sotto la neve. Di questo non era contento. Era tradire chi aveva riposto fiducia in lui, che forse aveva bisogno di lui. Così nulla cambiava, era impossibile essere tranquillo e in pace. Nemmeno l'isolamento poteva levargli la fatica di stare al mondo. Ma almeno si toglieva dai piedi la costante ambiguità degli uomini. Le loro falsità. Le loro verità non dette. Nel voluto eremitaggio sarebbe finalmente scampato a quelle ipocrisie, isolandole le avrebbe annientate. Ma dalle sue poteva fuggire? No. Anche lui era uno di loro, di quelli che voleva evitare. Pure lui era pieno di falsità e difetti. Il male che vedeva negli altri era anche il suo; alla fine doveva fare i conti con se stesso. Si consolava pensando, e convincendosi ogni giorno di più, che finendo isolato almeno non avrebbe recato danno al prossimo con i suoi difetti. Vivendo a distanza dagli esseri umani non era necessario applicare furberie e falsità nell'intento di raggirarli, sorpassarli, fregarli, vincere prima di loro. In fondo, il suo ritiro era un bene per gli altri più che per se stesso.

Ebbene, era venuta l'ora di togliere il disturbo. Finì di sistemare la baita. Da un esperto fece costruire all'interno una grande stufa in pietra refrattaria e maiolica con annesso forno, abilmente innestata nel muro divisorio dei vani a pianterreno. Così riscaldava entrambi gli spazi, e mediante alcuni condotti pure le stanze di sopra. In quella zona fuori dal mondo gli inverni erano lunghi, tenacemente incollati alla terra con radici di gelo e solitudine e la neve veniva copiosa a coprire tutto per molti mesi. Riempì di provviste la soffitta e la stanza con l'intercapedine. Roba a lunga scadenza che non è il caso di elencare. Ma, giusto per dare l'idea, erano sacchi di farina, caffè, prosciutti, forme di formaggio, scatolame di ogni genere, mortadelle panciute, sacchi di frutta secca, di riso, pasta, cereali. Pagò una ditta specializzata e con tre voli di elicottero portò tutto lassù, compreso il fucile automatico calibro dodici, parecchie munizioni e calzature per ogni stagione. E asce, roncole, due motoseghe, carburante, sgorbie, scalpelli, mazzuoli, la mola per affilare, un gruppo elettrogeno per produrre energia elettrica. E poi pignatte e padelle, piatti, moca da caffè, scodelle, e tutto quel che serviva a campare in un luogo remoto calando a valle il meno possibile.

All'inizio niente vino, neanche un litro. Ma poi si sarebbe rifornito anche di quello. Non era semplice dare un calcio alla civiltà così, di punto in bianco. Bisognava operare uno strappo elastico, o rischiava di non resistere alla baita delle donne misteriose. Incominciò col fermarsi qualche giorno di marzo che ancora nevicava. Poi una settimana, due, infine resistette ventidue giorni. Aveva con sé il suo cagnolino.

Intanto era arrivato maggio, la vita nei boschi si svegliava, la neve lacrimava il pianto cadenzato del disgelo.

Lasciò cadere impegni, serate, appuntamenti e promozioni televisive. Lasciò le vanità da sempre inseguite e sparì. Lassù, alla baita delle donne disseccate, dopo uno sguardo ai boschi vestiti di germogli, inspirò l'aria pulita dei picchi rocciosi e la buttò fuori con una tale forza liberatoria da far tremare le punte dei noccioli. «Finalmente!» sussurrò. Iniziarono così, nel grembo della natura che lo avrebbe cullato e protetto fino a quando se ne andò prestandosi alla sceneggiata del mondo, i suoi ultimi dieci anni di vita. Dieci anni non di pace, sarebbe stato troppo, ma intensi, vivi, corredati da giorni cupi e disperati, allucinati. Dieci anni senza orologi, agende, appuntamenti né rotture di coglioni. Lontano dalla società delle apparenze che, per ragioni tutt'altro che oscure, non è mai stata leale, sincera, buona. Distante da tutti ma non da se stesso. Da quello non poteva separarsi. Leale non era stato nemmeno lui. Buono forse, leale e sincero no. Qualche volta aveva provato a diventarlo, rimediando badilate in faccia, provocando dolore a qualcuno, e le risate del prossimo. La sincerità non paga, indebolisce.

Ormai a quell'uomo rassegnato non interessava più nulla, tranne una figura lontana, che negli ultimi anni, giorno dopo giorno, aveva costruito con caparbia ostinazione il rifugio del proprio oblio rendendosi estranea alle voci del mondo. Calandosi in quella malinchetudine profonda e senza ritorno, la donna allontanava il dolore, rimanendo aggrappata alla dolcezza di ricordi gentili. Questo accadeva verso la fine, quando entrambi avevano rinunciato a lottare per un'armonia d'assieme che non poteva compiersi, negata dalla società che presentava il conto.

Quella primavera di morte sociale e vita nascosta, l'uomo la trascorse ad abituare corpo e anima al nuovo tipo di esistenza. Non fu per niente facile. Per agevolare l'impresa, la sua mente rispolverò i tempi d'infanzia, stagioni alle malghe a fare il pastore, giornate infinite sui pascoli e notti senza sonno nell'attesa che qualcosa cambiasse. Mesi di fatiche lontano da casa, isolato e muto tra pascoli e boschi. Allora non aveva difficoltà a stare nella natura, nemmeno gli pesava vivere lontano da tutti. A quei tempi non otteneva successi se non quello di sopravvivere. Né sognava la gloria che in futuro lo avrebbe tolto dal suo mondo antico e semplice. A quei tempi era un ragazzino timido e pulito, lontano dallo spaccone vanesio, formatosi in età matura, quando, baciato dalla fama che aveva sempre rincorso, iniziò a sputare sentenze. Una fama non certo eccelsa, anzi, al pari di lui, piuttosto mediocre, ma pur sempre una fama che lo esaltava. I vanitosi mediocri gongolano a onori mediocri, sempre meglio che essere ignorati. Ora invece, agro di contatti col tritasassi della società, preferiva davvero sparire per sempre.

Il primo anno di isolamento fu pesante, ostico da controllare. Durante il giorno, quell'essere infelice calpestava monti ricamati da voci di primavera, allietato dal rigoglio dei boschi e pascoli in fiore evocanti l'infanzia. Il problema nasceva alla sera, quando doveva trascorrere inquietanti ore morte nel tentativo di pigliar sonno. Allora s'affacciavano fantasmi di ogni tipo e dimensione. Ombre maligne, grandi e piccole, mettevano sale di dubbio sulla scelta, facevano vacillare la volontà di resistere nel remoto isolamento.

Lo annichiliva la distanza dall'armonia d'assieme, da quella figura ormai chiusa nell'ombra di se stessa, determinata pure lei alla rinuncia di tutto. All'inizio ravvivavano l'esistenza tramite la fievole voce di un telefonino. Poi buttarono anche quello. Volevano parlarsi senza voci artefatte, trovarsi a distanza, avvolgersi nell'aria come i venti che si scontrano e scuotono le cime degli alberi. S'incontravano a dosi di pensiero. Una volta vicini camminavano insieme per le strade del mondo, battevano vie sconosciute, mari, montagne, boschi e i deserti dei loro silenzi. Tacevano. Ormai parlavano guardando. Meglio così. Nessuno sapeva dove fossero finiti.

Allora, alla baita, come foglia d'autunno staccatasi dal ramo, compariva con un fruscio la donna misteriosa. Si materializzava d'improvviso, nel silenzio assoluto, senza rumore, senza parole, senza preavviso, solo quel soffio di foglia che cade, il frullo durante un volo, annunciava che lì, sul sentiero di mezza costa, avanzava qualcuno. Era lei. Né baci né abbracci. Sguardi. E poi silenzi, notti a guardare lune stravolte, sanguinanti come speranze disfatte, sogni interrotti, gioie calpestate per non ferire quelle degli altri. Nelle loro anime era entrato il seme stanco della rassegnazione. Non chiedevano nulla, non ponevano domande né volevano risposte. Tantomeno facevano progetti, congetture. Aspettavano. Si davano all'oblio lasciandosi andare: quel che restava sarebbe accaduto. Erano diventati invulnerabili, invincibili perché sconfitti.

La società li aveva sconfitti. Una società astuta, malata, fatale. Così avevano gettato la spugna, s'erano tolti dall'ordine ipocrita dei falsari. Senza odiare nessuno, senza recriminare, senza pregare, avevano chiuso. Pregare a fare che? Era necessario? No.

Un tempo l'uomo aveva fede, ora non più. Il suo dio gli era completamente scivolato via, indifferente. Come acqua sulla pietra. Ma quando, nel ritiro di uomo vinto, girava sui monti e s'imbatteva in qualche crocefisso scavato nel tronco di un albero, si fermava a guardarlo. Gli procurava nostalgia averlo abbandonato, non avergli più creduto, averne messo in dubbio l'operato. Allora, come per chiedere scusa, gli baciava i piedi trapassati dal chiodo. Ma non cambiava nulla, ormai era consunto, ne aveva viste troppe, non voleva più saperne; qualcosa gli era morto dentro. Quando sarebbe morto qualcosa anche fuori, gli occhi spenti, gli arti freddi, la rigidità del corpo, se esisteva quel dio distratto, lo avrebbe saputo. Forse pure intravisto. Chissà! Da sempre aveva preteso chiarezza, invece tutto gli diceva dubbio e falsità.

Dopo un mese, un giorno o una settimana, così com'era apparsa, foglia caduta dal ramo, allo stesso modo la donna partiva sollevata dal vento delle sue

165

radici. Si eclissava, tornava alla penombra. L'uomo reggeva l'urto dei giorni solitari, inventandosi compagni di viaggio. I toc toc che si udivano da lontano erano colpi di sgorbia e mazzuolo. Quell'essere scorbutico, introverso e orgoglioso, stemperato dall'età, addolcito dalla rassegnazione, cercava ancora compagnia. Giorno dopo giorno, nei mesi delle stagioni, si recava poco sopra la baita dove bisbigliava una grande radura di alberi secolari. E alberi più giovani e di media età. Sceglieva quello adatto a seconda di chi doveva metterci dentro. Li scolpiva sul posto cavandone personaggi che lasciava impiantati nella terra, gente simpatica, antipatica, amici lontani, amici morti, nemici. E ancora ninfe, gnomi, fate, gufi, civette, barbagianni e altro. In mezzo alla radura, dentro un enorme pino cembro, modellò la regina del bosco, l'ombra che ogni tanto arrivava come foglia portata dal vento. Non le rivelò mai il segreto delle donne mummificate. Ma lei, quando s'accostava all'intercapedine, diventava inquieta come un cane che percepisce lontana la minaccia. E all'imbrunire, quando gli uccelli tacevano sul ramo, sentiva grida nella foresta e scricchiolii di passi sulla neve gelata che ancora non c'era.

Il primo inverno di isolamento l'uomo lo riservò all'impegno non facile di riprendere la naturalità degli animali, cosa che aveva perduta dopo l'adolescenza. Lassù le notti s'affacciavano interminabili, seguite da giornate brevi, fredde come la morte. Il tempo non passava, le ore ghiacciavano senza sciogliersi più, come certe nevi nascoste negli anfratti che non cedono acqua al sole di luglio. L'uomo trascorreva ore accanto al calore sbuffante della stufa di maiolica e a quello di una cucina economica. Scriveva. Riempiva quaderni su quaderni con grafia minuta senza fermarsi un attimo. La luce della lampada rendeva quella stanza un nido fiabesco, collocato dentro l'inverno dell'alta montagna. Dormire in totale solitudine era quasi impossibile, specie i primi tempi quando gli alberi erano spogli e spiavano l'arrivo della neve. All'uomo non dispiaceva ascoltare a occhi aperti la favola silenziosa del mondo incantato. Piano piano, sentiva il corpo adattarsi alla natura come un piede alla scarpa nuova. Pure l'anima si stava abituando alla presenza di sensazioni forti. Erano spiriti aleggianti, sussurri, fruscii, animali di passaggio, animali notturni, rantoli di gufi, soffi, richiami di martore affamate, chiacchiere.

All'inizio l'uomo era agitato, ansioso, inquieto. Ora la sua anima si stava rilassando. Tornava serena e dolce come quando la sentiva pulsare da bambino, sulle remote malghe a fare il pastore. Durante i primi mesi di ombra e gelo credette di non farcela. Invece ripescò una pace e una serenità affondate da anni nel balordo sciabordio del mondo. Furono loro a farlo resistere. Valori che l'impegno per stare tra gli uomini aveva triturato, sminuzzato e fatto sparire. Alla primavera successiva, dopo tredici mesi di isolamento, si chiedeva stupito come mai non avesse deciso prima di tirarsi fuori dal consorzio umano. Lassù stava bene. La risposta era semplice, scontata. Prima non sarebbe stata ora. Non era ancora stomacato da falsi amici, ruffiani, invidiosi, detrattori, usurai d'amore, opportunisti e leccaculo. Prima non avrebbe potuto. Non era ancora sazio di successo, di porsi al centro dell'attenzione, essere riconosciuto, additato, cercato. Allora, quelle cose gli garbavano, gli facevano comodo. Alzava la cresta, pavoneggiava il suo spirito creativo, esaltava il talento che non aveva. Insomma, presenziava. Diciamolo chiaro una volta per tutte, gli piaceva esser presente, invitato a occasioni importanti, trovarsi dentro cose che contavano, che spingevano in alto. Per ottenere questo la lotta era dura in certi ambienti impari, spesso cinica, senza esclusione di colpi. Alla fine, superati i fatidici sessanta, aveva ottenuto buone vittorie e tante sconfitte, uscendone agro, sfinito, pesto e nauseato. La gloria costa cara. Costa averla e mantenerla. Costa farla durare senza essere annientato. Non da lei, ma da coloro i quali chiamano fortuna la gloria degli altri, o che corrode loro bile e fegato. Basta! Via! Via da tutto. In pace finalmente.

Oblio degli anni ultimi, visione di alberi e cielo, memoria di neve, piogge, vento, primavere, stagioni. Memoria di lei, del tanto che era stato, del poco che restava. Memoria estenuata nell'attesa di quella foglia che il vento avrebbe fatto apparire ogni tanto e portato via di nuovo. E l'uomo si faceva ramo per non dimenticare da dove s'era staccata e partita.

Ogni tanto calava a valle per provviste. Sempre doveva vincere la riluttanza a entrare in paese. Era un po' come cedere, tornare tra la gente. Barba lunga, occhi infossati, scavato, magro, con fare circospetto comprava quel che gli serviva e si ritirava veloce come un grillo nella tana. Una volta comprò pulcini di gallina. A un amico fidato aveva lasciato un mucchio di soldi affinché pagasse ciò che prendeva. Preferiva scendere a ore serali o al mattino presto, quando in giro c'era poca gente. Ma persone ne incontrava lo stesso, era impossibile non imbattersi in qualcuno. Allora, per salvarsi da domande, metteva in pratica il sistema collaudato da tempo: fare silenzio. L'arte di tacere e tirar dritto era diventata la sua specialità e l'affinò sempre di più. Fino a non udire né richiami né domande. Se incontrava famigliari o conoscenti li fissava senza aprir bocca. Questi provavano a interrogarlo ottenendo silenzio. La gente diceva "è diventato matto". L'uomo gongolava: era salvo. Se la gente si convince che uno è pazzo, lo lascia in pace, non gli rompe i coglioni. Ma lui era un caso a parte. Prima della fuga stava in pubblico, lo conoscevano in tanti, il suo ghigno astuto ruotava nelle tivù.

L'assenza improvvisa di tale personaggio aveva creato curiosità. La gente lo cercava, voleva sapere che fine avesse fatto. Siccome le voci corrono e i delatori stanno in paese, non ci misero molto a scoprire dove s'era cacciato. Qualche temerario, a volte più di uno, trovò la strada e si presentò alla baita ricevendo l'accoglienza di un fucile spianato. Solo gesti, niente parole. L'uomo imponeva dietro-front puntando la canna dell'automatico dodici. Alla fine costruì trincee. Recintò il terreno attorno alla baita. Eresse staccionate di sorbo, legno antipatico e aggressivo, corredandole di cartelli inquietanti perché laconici e perentori. "Alla larga" dicevano. Da quel momento non percepì scocciatori se non a grande distanza e armati di binocolo.

Dopo qualche anno, tutto si chetò. Col tempo, nostalgici e curiosi non sentirono più il bisogno di andare a vedere la faccia di quel coglione presuntuoso. E fu un bene per tutti. L'uomo stava cedendo a quella quieta follia che accompagnò i suoi ultimi anni. Vedeva fantasmi e ombre, ed era capace di premere il grilletto. Intanto restava lassù, isolato in mezzo ai boschi, sotto i becchi di roccia adunchi, tra mummie e personaggi cavati dai tronchi che ogni tanto aumentavano di uno. Erano compagni di solitudine, figure con le facce tristi, uomini e donne vecchi e giovani, e persino bambini. Tutti con inguaribile mestizia sul volto. Gente che, tramite le sgorbie dell'uomo, era andata a finire lassù, nell'estremo nord della vita, ultimo domicilio di pace dopo che anche loro furono annientati dal mondo. Ma i personaggi ritti in piedi dentro la radura, immobili nell'eternità delle stagioni, non parlavano, né si odiavano. Nemmeno sgomitavano o facevano i ruffiani, i pugnalatori alle spalle e via dicendo. Era gente morta in piedi, viveva nel silenzio di un tronco, col ricordo di quel che gli era stato scolpito sul volto da una sgorbia. Ogni mattina l'uomo li scrutava uno per uno. Anche i nemici avevano il volto triste. Come se dentro quegli occhi fosse calato il pentimento di un'esistenza spesa a odiare, rodersi, far del male, campare di rabbia. La morte li aveva ridimensionati, redenti, recuperati. S'erano resi conto d'aver campato storti ma ormai non vi era tempo. L'uomo voleva dare una possibilità a tutti, almeno nel ricordo, perciò aveva mosso le sgorbie nel verso della pietà e del perdono. Cattivi e nemici non portavano sul volto la cancrena della loro vita malata bensì la tristezza del fallimento per il male elargito gratis. Gli animali invece non erano tristi, avevano musi sereni e attenti, come se giudicassero con una certa indulgenza le malefatte degli uomini, i loro malesseri.

Lassù, all'ombra dei picchi, lo scorbutico solitario cercava compagnia. Creava un mondo suo, a misura d'affetto e comprensione, dove non esistevano biechi sentimenti né azioni malvagie. Per concretizzare questa utopia, fu costretto a rinnegare i suoi simili, abdicare al regno umano e costruirne uno privato, popolato da persone di legno e animali in carne e ossa. Con loro andava d'accordo. Quella gente campava giusta e leale. Se infrangeva i comandamenti era per sopravvivere. Il tasso passava a rubargli qualcosa da mangiare, aveva fame, forse gola. Anche gli animali provano desideri oltre natura. Il camoscio, se trova un biscotto, se lo sgranocchia eccome. Così pure marmotte, scoiattoli, ghiri, cinghiali. Gli uomini albero non rubavano. Vivevano succhiando nutrimento attraverso le radici, un po' di aria per fiato. Stavano zitti, non s'impicciavano di nulla, con loro l'uomo scorbutico andava d'accordo. D'inverno aumentavano i furti. Venivano volpi e martore affamate, disperate di gelo e solitudine, ad arraffare qualcosa. Per evitar loro l'imputazione di furto, l'eremita metteva del cibo fuori dalla porta. Che si servissero. Lassù, dove s'era intanato per allontanare le carogne del consorzio umano ed evitare allo stesso modo le sue, l'uomo non tollerava malefatte nemmeno da parte degli animali. Lasciava libere le galline affinché l'aquila o la poiana ne acchiappassero qualcuna senza costringerle a violare il pollaio, di conseguenza il codice. Nello sdegnoso ritiro finale, nauseato dall'umanità furbastra, l'uomo s'era dettato un codice di lealtà e giustizia dove non dovevano sgarrare nemmeno gli abitanti del bosco. Ma sapeva che ciò era impossibile, quando uno ha fame, ha fame perciò lasciava fuori quel che i predatori avrebbero arraffato dentro. Così non era furto, bensì dono. Pensava che in una società compiuta poteva funzionare allo stesso modo. Ma gli uomini, voraci e insaziabili, avrebbero portato via tutto, non l'essenziale a nutrirsi. Gli uomini non sono leali e compiuti come gli animali.

Ricordava un amico che aveva aperto "L'osteria senza oste". Era un esperimento "scopri onestà". La bettola, pittoresca e fornita di vini buoni e cibi appetitosi, non teneva nessuno al banco di mescita. Ogni avventore doveva servirsi da solo, lasciando i soldi in un secchio. Progetto fallito. Dentro al secchio, il padrone non trovava nemmeno il denaro degli onesti. I disonesti bevevano e mangiavano a sbafo. Per grazie pulivano il secchio. Così è l'umanità. Non tutta, quasi tutta.

Lassù alla baita delle mummie i mesi si susseguivano uno dopo l'altro, grani di rosario scanditi dalla possente unghia della natura. Giorno dopo giorno, l'uomo apprezzava i tagli spietati della solitudine, adattandosi lentamente alle forze dell'isolamento. Le stagioni mutavano e lui mutava con esse. Aspettava gli eventi annusando l'aria come i camosci. Scopriva che ogni stagione inoculava negli animali, e in lui, umori, entusiasmi e stati d'animo diversi. Anche il suo cane mutava, un bastardino color miele con zampe corte, s'adeguava. Teneva occhi e orecchi sempre vigili. Doveva stare all'erta, il padrone era imprevedibile.

La primavera esaltava l'uomo, gli dava brio, esuberanza. Inventava oggetti, lavori strambi, costruiva mobili, panche, librerie. Dormiva poco, ascoltava molto. Alla sera si chinava diligente su misteriosi quaderni dalla copertina scura. Scriveva. D'estate, col bel tempo, camminava quasi ogni giorno. Sfacchinate per i monti ponendo attenzione a schivare ogni incontro umano. Aveva infurbito l'orecchio tanto da riconoscere il passo degli animali da quello delle persone. Alla sera scriveva. In tutte le stagioni, sera e notte scriveva. Dormiva poco. Lassù le notti erano interessanti, misteriose rispetto ai giorni. Le notti riservavano sorprese, portavano visite, e lui doveva fare gli onori di casa. Lassù era orfano di impegni e genere umano. Poteva contare soltanto su esseri bislacchi, fantastici, strani, inconcepibili da chi stava nel mondo civile. Erano i personaggi di legno scolpiti nella grande radura, ai quali ogni tanto aggiungeva un nuovo inquilino. E poi gli animali, gli alberi, le nuvole. Con le statue albero sovente discuteva. Parlava di tutto e tutti. Non di rado alzava la voce contro gli alberi scolpiti figuranti detrattori, nemici, rivali. Gente che laggiù, nel calderone umano, lo aveva attaccato, deriso, maltrattato. Ma erano sfoghi brevi. Alla fine sedeva accanto a loro e parlava con dolcezza e comprensione ai nemici verso i quali poco prima s'era scagliato. Ormai era evidente: la solitudine scavava un solco incolmabile nella testa da tempo in precario equilibrio di quell'uomo consunto e riottoso. Alla baita in ogni stagione venivano a fargli visita gli animali del bosco. Nei dieci anni in cui rimase lassù, ai margini del globo, ne aveva scoperto il linguaggio, conosciuto la lealtà, apprezzato il buon senso e l'amicizia. Per trovare pace, certezze e sincerità, s'era dovuto isolare sui monti circondato da uomini di legno, bestie di ogni tipo, alberi e silenzio. Diventò animale pure lui trovando l'armonia per stare al mondo.

Il vento ogni tanto portava la foglia al suo ramo. Ogni tanto il ramo partiva a cercare la sua foglia. Tra miliardi di foglie morte la trovava ancora viva. Per un poco fiorivano insieme, epifanie di primavere fugaci e stanche. Gli anni passavano, tutto diventava difficile. La memoria s'arrendeva all'oblio, cedeva terreno alla dimenticanza. Scordavano. Paravano i colpi del dolore dimenticando. Per farlo occorreva ammalare il senno. Entrambi s'impegnarono e non fu impresa facile. I ricordi erano duri a morire, specie alcuni. Ma pian piano si spensero tutti. Solo uno restò a pulsare. Semente indomita e ribelle, ravvivava qualcosa di bello e incompiuto che non poteva morire.

L'ultimo viaggio della donna in penombra, della foglia staccata dal ramo, fu poco prima che la sua testa vivesse di fantasmi e ombre e le gambe si piegassero sotto il peso della rinuncia. Prese per mano quel nipote, che sovente giocava nella stanza senza luce. Lo prese per mano e lo portò in una valle lontana. E là, in quella valle fuori dal mondo, camminarono diverse ore. Verso l'alto, verso un punto preciso. Arrivarono di fronte a un faggio millenario, maestoso, cupo, pieno di gobbe, piegato dai secoli, ferito da saette e pietre cadenti. La donna lo indicò al nipote. Con le lacrime agli occhi gli spiegò che dentro quell'albero, in una fessura cicatrizzata dal tempo, stretta da un filo di lana, dormiva da molti anni una ciocca di capelli. Si ricordasse di quel faggio. Non disse altro. Tornò a casa col nipote senza parlare. Il ragazzetto faceva domande sulla ciocca nascosta nel tronco. La donna rispose laconica: erano i capelli di un uomo e una donna, ora un vecchio e una vecchia, che potevano essere suoi nonni. E lì si fermò.

Da quel giorno, anche lei, come l'uomo sulla montagna, sopravvisse nella memoria che se ne andava, cacciata a spintoni da entrambi, costretti ad annientare il passato. Ma la semente per far fiorire altri amori restava, non c'era verso di cancellarla, non esisteva follia che potesse bruciarla. Non ci sarà mai. Le vite sospese di quei vinti rimasero silenziose, chiuse nel cassetto segreto che li univa, dentro il guscio dell'anima, che solo loro conoscevano, e della quale ormai non parlavano più con nessuno. La lontananza inventava salvamenti, annodava fili di contatto provenienti da altre galassie. Luce fioca di mondi insondabili era il loro cervello, il quale tutto esiliava tranne la piccola semente dell'amore. E di quella camparono sino alla fine. In loro era morto tutto, vivevano emozioni di contatto, giorno dopo giorno. Lui toccava la natura all'aria aperta, lei tastava oggetti all'ombra di una stanza. Ma la favilla non era morta. Il buio della dimenticanza originò un fuoco che trasmise calore a distanze non misurabili.

Finalmente potevano comunicare, parlarsi, toccarsi da lontano. Raccontarsi storie, dirsi quel che era da dire senza tema che qualcuno sentisse o vedesse. Nessun occhio, orecchio o cervello umano avrebbe mai capito quel linguaggio. Così sconfissero l'urto distruttivo degli uomini. Incontrandosi da lontano annullavano spazi, annientavano curiosi, ruffiani, gelosi e rompicoglioni. Alla fine avevano vinto. Scelsero di esistere nel sogno e nemmeno Cristo in croce poteva impedire loro di sognare. E sognarono. Ma non sarebbe bastato. Il sogno a occhi aperti restava mesto desiderio. Dovevano farlo con la testa perduta, allora diventava realtà. La follia materializza l'aria. Lo avevano capito e messo in pratica. Prima di abbandonarsi all'oblio della mente.

L'uomo realizzò un pellegrinaggio a due, progettato da tempo. Il cammino sulla montagna che tutti evitavano: la Cuna dei morti che piangono. È una valletta incastrata sotto la cima di un monte. D'estate vi cresce un'erba verdissima, tanto corta e dura che, al tempo dei pastori, a stento la masticavano le capre. D'inverno la conca si riempie di neve. Metri di bianco seppelliscono persino i blocchi di roccia disseminati qua e là, alti come palazzi. In primavera, attorno alle pietre, fanno danze d'amore i galli forcelli, e più in basso i cedroni e tutti cantano fino all'alba inoltrata. D'autunno cala il vento dai monti circostanti e si infila nelle foibe di cui è corredata la valle facendo suonare gli imbuti di roccia da prendere spavento. Per questo il luogo si chiama Cuna dei morti che piangono. Le foibe sono più di trecento, sparse dappertutto. Sbucano d'improvviso, nel prato, labbra di roccia calcarea aperte al bacio del piede. Quelle ferite vanno giù per centinaia di metri. Alcune scendono con andamento obliquo tanto da entrarvi e calare quasi camminando. Dentro s'aprono stanze, nicchie e tane, percorse da cunicoli e budelli contorti come spirali di dolore. Se per caso soffia il vento mentre uno è laggiù diventa pazzo e non riesce più a venir fuori tanto sono orrende le urla che si levano dai pifferi di roccia. Dal paese, in un secolo e mezzo, sono sparite centodue persone. Le loro ossa stanno laggiù, sparse qua e là tra le urla del vento che sono le loro grida prima di morire. Ma è soprattutto all'esterno che si possono udire quelle voci, strazianti. Quando Eolo soffia forte, nella valle non si resiste.

Un giorno, a metà luglio di un anno vicino all'ultimo, l'uomo eremita sottrasse la donna dall'ombra e la portò alla Cuna dei morti che piangono. Marciarono per ore, la baita stava lontana da quel luogo desolato. Giunti alla valletta, aperta come la conca di una mano, l'uomo camminò verso un punto preciso, lei seguiva in silenzio. Si fermò di fronte a una spaccatura che, a differenza di tutte, s'apriva in un blocco di roccia squarciato dal fulmine. L'uomo indicò la fenditura, dicendo all'ombra silenziosa di segnarsi bene in testa l'ubicazione di quel buco. Allo stesso modo in cui la donna raccomandò al nipote di ricordare il vecchio faggio, l'uomo raccomandò a lei di non dimenticare la voragine alla Cuna dei morti. Tornarono giù tenendosi per mano. La donna si fece di nuovo foglia e volò via dal ramo.

Da quel giorno non si videro più. Si videro in altri mondi e in altri modi e per la loro esistenza ultima fu meglio così. Un regalo di libertà e spazio che si concessero alla fine. Mai avrebbero ottenuto pace con la testa a posto, in mezzo al giudizio del calderone umano. Prima del giudizio universale vi è quello umano che, in barba alla buona fede, se ne fotte di ogni rispetto e fa carta straccia dei sentimenti altrui.

Alla baita delle mummie l'uomo riprese a intagliare personaggi nei tronchi degli alberi che lasciava ben radicati nella terra. Là erano nati, là dovevano stare. E poi scriveva. Quando non camminava scolpiva o lavorava la terra, stava chino sui quaderni dalla copertina nera e andava avanti con lapis e penne per ore. Di quelle migliaia di pagine qualcosa è rimasto, parole di una notte senza senso. Ma il più è andato perduto, divorato dal fuoco. Questa però è un'altra faccenda assai delicata che verrà a galla quando sarà il momento. Lassù alla baita, intanto, accadevano cose strane. L'uomo cominciò a vedere immagini, figure, oggetti che in realtà stavano distanti centinaia di chilometri. Eppure erano là, davanti ai suoi occhi, apparivano e sparivano sulla porta, nel bosco, nella radura, tra gli alberi. Tutte cose che riguardavano la donna in penombra. A volte vedeva i suoi vestiti, le scarpe, la gatta. Spesso udiva la sua voce che lo chiamava, o canticchiava o piangeva sommessa. La cosa più strana che gli capitò furono lettere di lei. Lettere belle, struggenti, arrivate lassù in modo sconcertante. Le scoprì per caso, un giorno malinconico. La nebbia d'autunno avvolgeva come un fiato i personaggi nella radura, muovendoli fino a farli sembrare vivi. L'uomo scolpiva un corvo imperiale togliendolo dal mozzicone carbonizzato di un tronco andato a fuoco un secolo prima. Tutto attorno, montagne di trucioli, riccioli di sgorbia, schegge di scalpello.

L'uomo era stanco, si capiva dai gesti, lavorava adagio, stava invecchiando. D'improvviso, dentro la radura, notò qualcosa. I riccioli di sgorbia, i trucioli, le schegge, erano diventati lettere. Lettere dell'alfabeto che, adagiate sul foglio bianco nella nebbia, componevano parole. E le parole frasi che formavano testi più o meno lunghi, compiuti, con senso logico. L'uomo prese a leggere attentamente. Era lei che raccontava, si confidava a lui. Lo informava di quel che faceva, di come viveva, di quel che succedeva dentro l'ombra di solitudine che s'era messa addosso. E poi di come stava nel corpo e nell'anima. L'uomo tuffò le mani dentro ai trucioli, si mise a scompigliarli, a voltare pagine. In quel caos profumato d'autunno altre missive apparivano nitide, precise, sui fogli candidi della nebbia.

Dall'altra parte del mondo, la donna in penombra vedeva un film scorrere nel buio della stanza. Vedeva quel che l'uomo faceva lassù, alla baita delle mummie tatuate. Vedeva le cose desiderate, tutto quel che voleva era lì. L'oblio volontario della mente iniziava a dare frutti. Adesso si vedevano, si udivano, si parlavano. Stavano l'uno nell'altra. Era avvenuto il cambio di stagione, splendeva il sole, i sogni diventavano fatti. Nella tomba del non udire, nel buio del non vedere, nel vuoto del non parlare, finalmente potevano udirsi, vedersi, parlarsi. Liberi dalle carceri del mondo e dai cerberi che ne tenevano le chiavi, facevano quel che avevano sempre desiderato. C'era voluta la quieta follia delle menti per vincere il mondo ostile e le distanze, ma i novelli Don Chisciotte ce l'avevano fatta. Ora consumavano assieme la vita rimanente, senza scappare, schivare, nascondere. Non serviva più. Erano già scappati, schivati, nascosti. Erano in piena luce.

Lassù alla baita l'uomo leggeva lettere nei trucioli. D'inverno la neve veniva a seppellirli, ma la corrispondenza non s'interrompeva. Leggeva lei nelle ombre che di notte ballavano sui muri, mosse dal fuoco del fornello. Leggeva nei quaderni dalla copertina scura, intonsi, che riempiva di grafia minuta. In quelle pagine scriveva storie. Molte gliele dettava lei, parola per parola. Leggeva e sentiva la voce della donna nella penombra dentro lo sguardo di una cerva che aveva addomesticato. Questa cerva passava ogni mattina davanti alla baita. Uno sguardo all'uomo e correva via. L'uomo la rallentò, buttando in terra un pezzo di pane che cuoceva nel forno. La cerva lo mangiò. Il giorno successivo altro pezzetto. La cerva prese anche quello. Dopo due mesi mangiava dalle mani dell'uomo. Si sdraiava accanto a lui, davanti la baita, lo seguiva nelle camminate.

Arrivò settembre, quando i cervi vanno in amore e bramiscono di notte. La cerva non era interessata alle attenzioni dei maschi, stava con l'uomo della baita. I maschi venivano per averla, lei si difendeva a testate o rifugiandosi in casa. L'uomo capì: nella mente addestrata a suo favore quella cerva era lei, la donna in penombra. Era venuta lassù, sotto gentili spoglie per stare accanto a lui. Ogni tanto, con la lingua, gli leccava il viso, le mani. La cerva gli parlava, lui parlava a lei. S'intendevano. Alla fine la fece dormire nella baita. Di notte ne udiva il respiro. Un fiato lento, calmo. A tratti sospirava, come avesse dei rimpianti, o sussultava. Forse aveva paura, provava dolore. Forse era solo stanca.

A centinaia di chilometri dai picchi a becco d'aquila, un riccio si intrufolò nella stanza in penombra. Da tempo dimorava in giardino, quel giorno decise di varcare la soglia. Il grosso riccio dagli aculei lucenti, acuminati e fitti, avanzò verso la donna. Questa, invece di buttarlo fuori, si chinò a carezzarlo. Era rimasta sola. Per meglio dire, molto tempo di giorni e notti silenziose lo trascorreva sola. Specie negli ultimi anni, la figlia notò inarrestabile l'oblio e il progressivo lasciare il mondo da parte della madre. Non fidandosi di quella donna, diventata ombra e mistero, le aveva sottratto il nipote, il ragazzino che voleva giocare con le sculture presenti nella stanza. Forse lei non s'accorse nemmeno dell'assenza, pensava ad altro, viveva altrove ormai, teneva in mano il sogno. Altro non le serviva.

Carezzando il riccio, gli aculei non ferirono il palmo, e neppure l'animale arrotolò il corpo a difendersi. Anzi, al tocco delle dita, la bestiola si allungò come a diventare più grande, ricevere carezza su più superficie. La donna lo sollevò, tenendolo nella conca delle mani. Il riccio tremava di emozione, la fissava con gli occhietti dolci. Lei seguitava a carezzarlo, lui a stiracchiarsi, crogiolarsi, a ricevere calore.

La donna aveva già avuto a che fare coi ricci che invadevano il giardino e si meravigliò che questo non chiudesse il cerchio al tocco dell'intrusa, invece restava bello allungato a farsi coccolare. La donna fissò quegli occhietti furbi, i quali le dissero che quello era lui, l'uomo della baita, andato a cercarla con l'abito segreto.

Nella vita di ognuno c'è un animale che gli corrisponde e lo accompagna, come ognuno ha un albero che gli somiglia e gli sta simpatico. L'uomo del ritiro per sua natura era riccio. Solitario, scontroso, amante della notte, imprevedibile, pronto in ogni occasione a ferire con aculei di sarcasmo. Iracondo, permaloso al punto di chiudersi "a riccio" intere settimane. Questo era lui anche se abdicò agli aculei e si adattò alla pelle liscia.

Da quel momento la donna ebbe compagnia fino al termine dei giorni. Il riccio non la mollava un secondo: mangiava di tutto, pure i croccantini della gatta. Era onnivoro, disdegnava solo il latte: la volta che lo assaggiò stette male da morire e non volle più saperne.

Allo stesso modo in cui l'isolato della montagna aveva visto lei nella cerva, la donna aveva individuato lui nel riccio.

La quieta follia che entrambi si erano indotti per non subire le carognate del mondo, né elargire le loro, stava dando i suoi frutti. Erano diventati matti, potevano essere felici di tutto e in qualsiasi momento. Non vi erano più rinunce dolorose né tagli di esistenza. Senza il male del senno tutto è possibile. Di notte, nella stanza in penombra, le sculture di legno si animavano, prendevano vita, camminavano, giravano. Gli uccelli volavano, gli amanti facevano l'amore, i cavalli galoppavano, i fiori aprivano le corolle e profumavano.

Al mattino tutto tornava cheto. Il riccio, nel suo attento scrutare, pareva non accorgersi di niente. La donna gli parlava, lo sbaciucchiava, gli carezzava il musetto furbo, da birbante. A volte lo prendeva in mano fissandolo intensamente. S'accorgeva che dietro lo sguardo birichino un lucore appena impercettibile rivelava occhi buoni e stanchi, sofferenti da tempi remoti.

L'eremita della baita misteriosa era quegli occhi.

Non lo spaccone arrogante e vanitoso che aveva mandato avanti la vita come un ariete a sfondare porte di anonimato e farla pagare al mondo. Ma forse era anche quello, e molto altro. Gli uomini sono tante cose: dentro l'individuo alberga la moltitudine e ogni mattina affronta la giornata un persona diversa.

Il tempo passava. Ore, giorni, mesi diventavano anni, uno, poi due, tre e così via. Lassù niente cambiava nei ritmi giornalieri dell'uomo solitario. Preparava la legna, scolpiva personaggi nei tronchi, camminava insieme alla cerva, scriveva. In dieci anni di isolamento riempì una montagna di quaderni, soprattutto riportò nei minimi dettagli quel che le mummie gli dettarono dentro le notti fosche e allucinate degli ultimi anni.

Gli ultimi tre furono tremendi. Nelle notti senza luna apparivano le donne disseccate in attesa da tempi remoti nell'intercapedine: erano belle da far spavento. Lo picchiavano con cinghie di cuoio fornite di robuste fibbie, lo insultavano, gli sputavano in faccia. L'uomo urlava, bestemmiava, cercava il fucile. Usciva, fuggiva nella notte dolorosa e buia e queste lo inseguivano, lo abbrancavano, lo riportavano dentro obbligandolo, dopo averlo malmenato, a scrivere la loro storia. Una storia tenebrosa e lunga, ancora senza fine. E altre storie spaventose che, se non lo coinvolgevano in prima persona, riguardavano i suoi antenati, uomini colpevoli di delitti efferati e bestialità che, ora lo sapeva, tornavano puntuali nei sogni orrendi che lo perseguitavano dall'infanzia.

Dopo le visite notturne delle mummie, l'uomo si svegliava come da una trance ancora con la penna o il lapis in mano. Si tastava il corpo sfinito, cercava le prove delle percosse, lividi o ferite ma, dei colpi delle donne, non rimaneva segno. Rimanevano i quaderni con le pagine scritte sotto dettatura, piene di grafia minutissima. L'uomo si chiedeva il perché di quelle torture notturne, per quale motivo le mummie infierivano su di lui senza lasciare traccia se non parole da tramandare.

Quand'ebbe finito di ascoltare le loro storie e di scriverle, capì. A quel punto rispose ai perché. Era l'involontario erede di quella gentaglia: sangue di pazzi assassini correva nelle sue vene, germe di bestie notturne che portavano il male e la morte. Di questo doveva pagare anche lui. «La maledizione» avevano ringhiato infine le mummie, «finirà quando il gene di folli assassini verrà annientato da una donna proveniente da un altro mondo.»

Quei naufraghi solitari, resi infelici dall'esistenza sociale, indottisi alla follia per sopportare l'esistenza, ormai comunicavano per scambio di visioni. Erano completi, contenti, compiuti. Spesso nei loro cuori transitava la tenebra, eppure alla fine risultavano pacifici, assenti dal mondo perché liberi da un cervello pensante. Solo nella follia si può essere felici. Quando la follia è favorevole allontana dolori, pene, paure, patimenti. Allontana tutto, si vive beati. Se volta al contrario sono guai per chi la tiene e chi gli sta vicino.

Su, alla baita delle mummie, la vita dell'uomo marciava ai ritmi consolidati da quasi dieci anni di ritiro. Dall'altra parte del mondo, la donna in penombra viveva su passi felpati nella grande stanza scura, in compagnia di un riccio e statue di legno. Ognuno sapeva dell'altro. Sapeva quel che voleva sapere, quel che voleva immaginare. Erano cose belle. Per guardarsi negli occhi uno fissava la cerva, l'altra il riccio. Si parlavano, chiacchiere private, botte e risposte, gesti affettuosi, baci e carezze tra un riccio e una cerva.

L'animaletto non pungeva più, gli aculei si erano smussati, appiattiti, lisciati. La cerva non galoppava più, si muoveva nell'essenza minima di uno spazio d'ombra. L'eremita e la donna reclusa ormai non portavano angoli acuti; né punte, né lame urtavano i loro corpi, né quelli altrui.

Come sassi nella corrente erano stati smussati, arrotondati, puliti. La corrente della vita li aveva consumati, resi essenziali. Poi era arrivata la piena a travolgerli, rotolarli, spintonarli. L'ultimo colpo li aveva sollevati e buttati in alto, all'asciutto. Lassù, nell'irrealtà dell'ultimo sole, le due povere anime si asciugavano i corpi consunti e muti. In quella recita folle si crogiolavano bene, nessuno poteva metterci becco. Coi pazzi non è da intrigarsi. Quelli pericolosi li rinchiudono, loro erano miti. Ma la pellicola stava per finire, c'erano ancora pochi giri di bobina.

Una mattina di maggio l'uomo si svegliò. Mentre usciva dal letto si accorse di avere le gambe magre. Si erano assottigliate, le ginocchia parevano mele infilzate da stecchi.

"Mi sono ammalato" pensò.

Aveva ragione: si era creato la malattia lui stesso scagliando la volontà sulla salute. Ammalarsi e finire, andare via da tutto. Voler sparire, formula magica per ammalarsi sul serio. L'uomo non rallentò nei ritmi, seguitava a scrivere, scolpire personaggi, parlare con la sua cerva, ricevere storie e cinghiate dalle mummie, riportare le prime sui quaderni. Seguitò a urlare in certe notti, quando mancava la luna e ballavano fantasmi attorno alla baita.

Da quando scoprì le gambe sottili iniziò un pellegrinaggio alla Cuna dei morti che piangono. Arrivava lassù, dava rapide occhiate intorno e scendeva. Faceva quel percorso due, tre volte a settimana, ogni tanto calava in paese per le solite necessità, provviste, benzina per il generatore, quaderni, matite... Passava a salutare l'amico, l'unico fedele rimasto. Era lui che comprava la roba, il solitario non parlava, faceva solo gesti.

Un giorno di luglio se lo vide apparire in casa di primo mattino. Magro, allucinato, portava una gerla che vuotò sul pavimento: erano i suoi quaderni, più di cento. Per esattezza centosei. Due di grosso spessore li teneva nella camicia. Consegnandoli all'amico disse che quelli doveva farli pubblicare. Dentro c'erano indicazioni per l'editore. Di tutti gli altri, facesse quel che voleva, però sarebbe stato meglio bruciarli, roba pericolosa, poteva far male.

Non era stato così loquace e lucido dai tempi della gloria, nonostante la follia ragionava. Raccontò all'amico la storia di uno scrittore che prima di crepare raccomandò a un tizio di bruciare i suoi manoscritti. Ma questo non li bruciò, così diventarono libri, opere importanti. Lui invece poteva bruciarli o tenerli, erano affari suoi. Bastava facesse stampare i due grossi. Infine gli consegnò un biglietto con un indirizzo, senza mittente: doveva ficcarlo in una busta e spedirlo.

Da quel momento cessò di parlare del tutto, si cacciò la gerla in spalla e uscì. L'amico rimase di sasso, cercò di chiamarlo, fermarlo, lo rincorse, ma l'uomo sulla strada non c'era, così rientrò e impilò i quaderni in un angolo. Era preoccupato per la salute e la sorte dell'amico, e decise di fare qualcosa. Ma cosa? Quello non era a posto, poteva diventare violento. L'eremita salì alla baita e in paese non tornò più. Passò luglio, venne agosto e finì. La vita dell'uomo stava col punto di domanda. Quando? Dove? Come? Che fosse malato lo sapeva, lo sentiva. Quando inizia la fine del sentiero si diventa acuti. C'era in atto quel dimagrimento! Quanti amici accompagnò al cimitero ai tempi della vita. Anche loro avevano iniziato perdendo peso. Pochi mesi e stavano sotto. Alcuni furono cremati, ceneri in una scatola e via. I più fortunati dispersi nel prato. Lui stesso aveva disperso un ragazzo sulla montagna. Adesso era il suo turno, ma non avrebbe permesso funerali o cremazioni, l'avrebbero comunque individuato. Invece voleva sparire, essere nulla, nemmeno memoria. Se fosse morto d'infarto o inciampi vari, facessero pure quel che volevano, il suo corpo non lo considerava, gli aveva sempre fatto schifo. Ma, fin tanto che poteva decidere, sapeva cosa scegliere. Così, due o tre volte a settimana saliva alla Cuna dei morti che piangono: voleva verificare quanto ancora le gambe lo avrebbero condotto lassù. Non gli sarebbe garbato alzarsi una mattina e scoprire che non era più in grado. Con quelle gite collaudava il passo, verificava la resistenza, soppesava le forze e intanto dimagriva.

Un giorno entrò nell'apertura creata dal fulmine. Non era la prima volta che esplorava la foiba. Si scendeva quasi camminando. Il budello andava giù almeno ottanta metri prima di piegarsi orizzontale. Poteva bastare. Laggiù era come una panca di pietra da stare seduti. Alzando la testa si poteva vedere uno spicchio di cielo, sentire il vento. Era un buon posto per morire, sparire.

Intanto arrivò ottobre, le foglie cadevano a ceste, morivano in terra come gli uomini. Il penultimo viaggio alla Cuna, l'eremita lo fece il 27. Quel giorno capì che era giunto al termine, gli restavano poche forze. Pian piano calò alla baita, si stupiva di non avere dolore. Quell'oscuro demonio se lo stava mangiando senza fargli male.

Il giorno dopo, 28 ottobre mattina, guardò levarsi il sole, poi pensò di far fuori le mummie, eliminarle, farle a pezzi con l'ascia, arrostirle. Ma cambiò idea, e le risparmiò. E sono ancora lì, nell'intercapedine che attendono il prossimo.

I personaggi della radura no, non gli sarebbero sopravvissuti, quelli rappresentavano gli umani. La gente finta, falsa, inaffidabile, ficcanaso che aveva incontrato nella vita, che lo aveva costretto al ritiro. Quella gente in cui si riconosceva. Tutti della stessa pasta, tutti uguali. Era solo questione di tempo, ognuno avrebbe rivelato il male che conteneva. Via tutti, dunque, anche gli animali e gli uccelli scolpiti che non avevano colpa. Afferrò la tanica della benzina e partì.

Qualche minuto dopo la radura ardeva e in poco tempo era un grande falò. I suoi personaggi, più di quattrocento, bruciavano velocemente e senza speranza, come lui aveva bruciato la vita. Amici e nemici si contorcevano negli spasmi tra gli scoppi e le vampe del rogo.

Mentre se ne andava imboccando il sentiero per la Cuna dei morti che piangono, gli sembrò di sentirli urlare, alcuni bestemmiare e insultarlo. L'uomo non aveva più forze, camminava adagio, sudava freddo, si fermava spesso. Udiva il crepitio del rogo sempre più lontano.

La cerva lo seguiva nervosa, pareva sapesse, saltava, scartava, si frapponeva tra lui e il sentiero. Diceva "no". L'eremita avanzava, saliva. Saliva per scendere nella spaccatura della roccia. Non vi è salita cui non segua discesa. Lo sapeva, era l'esistenza.

A pomeriggio inoltrato arrivò alla conca. Sedette su un sasso nei pressi della foiba. Guardò in giro. L'autunno calava, ombre silenziose sull'ammasso confuso di grandi rocce bianche. Blocchi alti come case formavano un paese desolato, senza voci né suoni, il tempo non esisteva. Abitazioni fredde, prive di porte e finestre, aspettavano inquilini d'altri mondi. Attendevano una vita che non poteva esistere, ferma da milioni di anni nell'eternità della pietra. Tutto era immobile, un sole debole e triste si rassegnò al tramonto. L'uomo ne seguì il cammino finché la scure del monte non lo affettò del tutto. L'ultimo sole era svanito, non ne avrebbe visti altri. Il sole nasceva e tramontava, l'indomani sarebbe ricomparso lassù, lui no, stava per finire dentro le viscere della montagna, protetto e nascosto come quando riposava nella pancia di sua madre. Questa volta senza parto. Sarebbe stato meglio anche allora non esser partorito, o nato morto. Sarebbe stato. Ma ormai era tardi. Comunque, stava per tornare in un ventre materno, quello della terra, e non ne sarebbe uscito mai più. Respirò profondamente. La cerva, accucciata accanto, poggiò la testa sulle sue ginocchia. Lui la carezzò. Lei rimase immobile, aveva capito. Calarono le ombre della sera, impedendo all'uomo di vedere gli occhi lucidi alla cerva mentre le dava un bacio sul muso. Fece il gesto di alzarsi. La bestiola allontanò la testa dal ginocchio e la posò tra le erbe secche. L'uomo si mise in piedi e camminò verso la foiba. Sull'entrata, un ultimo sguardo all'imbrunire. Senza muovere il muso da terra, la cerva seguì i movimenti con gli occhi obliqui finché l'uomo sparì, ingoiato da buio della spaccatura. Era il tempo in cui la terra ghiacciava, presto sarebbe caduta la neve a coprire il paese di case senza porte. Quel mondo desolato e gelido, dove non esisteva voce se non quella dei morti alzata dal vento, sarebbe scomparso fino alla nuova estate.

Qualche giorno dopo, a molti chilometri dalla Cuna dei morti che piangono, dall'altra parte del mondo, una donna tenendo il figlio per mano bussò alla porta di una casa. Quella della madre. Nessuno aprì, nessuno rispose. Non la vedeva da due giorni, né la sentiva. Si preoccupò. Fece forzare la porta, entrò: la donna della penombra era fredda. Stava sul divano, immobile nella fissità della morte, pallida, il volto rilassato, circondata da sculture in legno di varie dimensioni. Era ancora bella, pareva che dormisse. Stringeva nella mano, la sinistra, quella del cuore, una figurina piccola: erano due amanti seduti vicini, teneramente abbracciati. Sul tavolo un biglietto aperto, la busta che lo conteneva strappata malamente. Il timbro rivelava un paese lontano. Sul biglietto poche parole. "A quel tanto che è stato, a quel niente che resta. Tutto resta niente. Che la ruggine del mondo non cancelli i nostri sogni, che la polvere del tempo non copra il nostro amore. A tanti anni di ricordi." Più sotto un "grazie".

Accanto al divano, con le zampette all'aria, stava il riccio, morto anche lui. Per chissà quale misterioso fenomeno, la bestiola aveva abbandonato gli aculei sul pavimento. Tutti, dal primo all'ultimo. Nudo, roseo e liscio, era come se prima di morire avesse voluto gettare le armi. Spade, coltelli, lance, spine, niente più lo corredava, né per difesa, né per offesa. Nella morte si riposa, non serve più attaccare, nemmeno proteggersi. La morte scarica armi, disinnesca bombe, spunta coltelli e spade, e toglie spine.

Ottobre finì in fretta, ne avanzava poco. La prima settimana di novembre nevicò. Il bianco seppellì tutto, uno spessore di metri.

Alla Cuna dei morti che piangono a malapena spuntava qualche blocco. Sul fondo della foiba, alla fine del mondo e della vita, un uomo vecchio e stanco, distrutto da se stesso, stava iniziando a disseccarsi e diventare mummia come le donne dell'intercapedine. Lui i tatuaggi li portava nell'anima, non sul corpo, e finalmente, forse, laggiù avrebbe riposato in pace.

Mi chiamo Protti Maurizio, detto Icio del Duràn, ho sessantasei anni, e non sono tanto capace di scrivere. Quando è sparito, il mio amico ne aveva settantasei, dieci più di me e li dimostrava tutti. Sapevo che era diventato matto, per questo lo tenevo d'occhio. Lui non sapeva che lo tenevo d'occhio, e per fortuna che non lo sapeva. Uno così era capace di tutto, specie quando la sua testa si mise a fargli vedere spiriti e ombre e fantasmi che lo colpivano. Cominciai a tenerlo d'occhio da quel giorno che lo vidi spuntare a casa mia, magro, gli occhi spiritati, malato. Di sicuro aveva un cancro, secondo me l'aveva. Mi portò una gerla di quaderni, erano centosei, tutti scritti fino in fondo. Si fermò lì con me più di due ore, spiegandomi per filo e per segno quel che dovevo fare in caso non ci fosse stato più. Che sarebbe durato poco era palese, troppo magro e stento. Dopo dieci anni lassù, solo, pareva uno scheletro. Mi fece un dolore da morire vederlo così. Io gli volevo bene anche se a volte, prima che diventasse matto, mi maltrattava. Era nervoso perché credeva di non fare niente di buono e ce l'aveva col mondo, per questo saltava su e mi diceva parole. Si sfogava con me che tacevo. Io sopportavo, sapevo che erano solo scatti di rabbia per le sue batoste, ma in fondo non era cattivo.

Il giorno che arrivò con i quaderni mi fece promettere che avrei fatto quel che mi chiedeva. Io non volevo promettere niente, volevo che andasse all'ospedale, ma con quello neanche provarci, mi fissava con due occhi che a guardarli cadevi per terra. Si aveva l'impressione che quegli occhi avessero visto l'inferno. Allora, quel giorno lì, dopo aver rovesciato una gerla di quaderni sul pavimento, mi disse che due dovevo farli pubblicare. Mi disse di andare in una casa editrice. I quaderni da far leggere li teneva dentro la camicia. Forse erano i suoi preferiti. Mi segnò sulla carta l'indirizzo della casa editrice di Milano. Potevo fare quel che volevo degli altri quaderni: ci pensò un poco su e disse che era meglio li bruciassi, potevano essere pericolosi. Per convincermi mi raccontò la storia di uno di cui non ricordo il nome. Questo qui, in punto di morte, raccomandò a un amico di bruciare tutto quello che aveva scritto. Invece quello non bruciò un bel niente e i mazzi di fogli in seguito diventarono libri famosi. Io risposi che se questo scrittore voleva bruciare la sua roba poteva farlo lui, non incaricare un altro. Che discorsi erano? Se uno vuol bruciare, brucia senza impegnare altri col rischio che questi altri non brucino niente. Io almeno sono stato onesto e, fuori dai due grossi e altri due che mi sono tenuto, gli altri li ho buttati nella stufa, ma prima ne ho letti diversi: tutta roba da farsela sotto. Anche i due grossi ho letto, uno è questo qui dove anch'io volevo dire la mia dopo aver parlato con l'editore. L'altro è un racconto di mummie.

È la storia di tre donne ammazzate con scritte sulla pelle. Nel quaderno, il mio amico dice che quella storia gliel'hanno raccontata le mummie, e lì si capisce che era diventato matto. Comunque sia, fantasia ne aveva per inventare quelle storie. Questo libro qui, dove anch'io metto qualche riga per spiegare un po' di robe, il mio amico lo aveva scritto come se fosse un diario. Raccontava la storia in modo chiaro, dicendo "io così, io colà". L'editore mi spiegò che quello si chiama scrivere in prima persona ma che, nel caso del mio amico, era meglio cambiare e scrivere come se fosse un altro a raccontarla. Io gli dissi che facesse così se reputava giusto. E così fece.

Tornando al giorno che vuotò la gerla sul pavimento, quando mi ebbe spiegato tutto fece silenzio un'ora, fissando il muro. Poi prese e se ne andò. Da quel momento, senza farmi vedere, quasi ogni giorno salivo alla baita a vedere cosa combinava. Lo spiavo da lontano con il binocolo che mi aveva regalato lui vent'anni prima. Era proprio diventato matto, povero amico. Parlava per ore con una cerva e la carezzava e le baciava il naso come se fosse una donna. Poi parlava con un bosco di gente, persone che aveva scavato nei tronchi degli alberi. E poi scriveva, lo vedevo attraverso la finestra che scriveva su quei quaderni. Mi avvicinavo scavalcando il recinto perché non aveva più il cane che abbaiava. Il cane era morto tempo prima e l'aveva seppellito. Me lo disse una volta in cui era sceso per la spesa. Quanto pianse per il suo cane! In ultima aveva la cerva che gli parlava, non piangeva più per il cane. Lo tenni d'occhio da circa metà luglio, quando comparì con la gerla in casa, fino a quel 28 ottobre, quando lo vidi infilarsi in una spaccatura che scendeva nella terra, mentre laggiù, nei pressi della baita, il bosco ardeva. Forse potevo bloccarlo, trattenerlo, ma a che scopo? Ormai era finito, malato, vecchio, stanco e pazzo. Volle, secondo me, seppellirsi da solo, perché nessuno lo trovasse per rompergli i coglioni anche da morto. Secondo me ha fatto bene. Quando si infilò in quella foiba c'era la cerva davanti a lui, accucciata, che lo fissava. Pareva che piangesse, povera bestia. Volevo mandarla via, poi pensai che stava bene là, a vegliare il suo padrone.

Dopo pochi giorni nevicò. Nevicò così tanto che aveva seppellito tutto, anche le montagne. Io non andai più lassù, con tutta quella neve era impossibile, c'era pericolo di valanghe. Ero sicuro però che la cerva fosse tornata nei boschi. Tutto l'inverno pregai per l'anima del mio amico, io solo sapevo dove si era seduto a morire. Pregavo che almeno laggiù, nel cuore della terra, avesse pace, perché da vivo, in superficie, non ne aveva mai avuta. Negli ultimi dieci anni, teneva un groppo che non avevo mai capito. Era come qualcosa di triste, un dolore che lo tormentava, una roba che gli premeva sul cuore come un blocco di pietra. Pover'uomo, che vita infame ha fatto! Se non leggevo questi fogli non avrei mai immaginato che avesse fatto una vita così grama. Alla fine, per non rovinare tutto, non danneggiare altri, ha preferito scomparire. Neanche i suoi parenti sanno dove sia, e forse non gliene frega niente dov'è. Ma io lo so e finché vivo non lo dimenticherò mai.

Sta primavera tenevo d'occhio la neve come avevo tenuto d'occhio lui negli ultimi mesi. Aspettavo che andasse via per tornare alla foiba e magari calarmi giù, a vedere dov'era, com'era messo. Ho dovuto aspettare fino a metà giugno perché si sciogliesse tutta. Poi, pian piano, ché ho avuto un infarto, sono salito fin lassù: la prima roba che ho visto è stata la cerva, o meglio, quel che ne restava. Davanti la foiba erano solo le ossa della povera bestia. Era rimasta cucciata là, dove aveva visto il padrone l'ultima volta, a morir di fame e farsi seppellire dalla neve. L'inverno l'aveva consumata e ora di lei erano solo le ossa. Aveva la testa ancora girata verso l'imboccatura, come per vedere se usciva il suo padrone. Poi mi sono affacciato sull'intaglio e ho visto che si poteva andare giù senza pericolo. Allora, facendo attenzione, sono sceso fino in fondo. Laggiù si vedeva appena, ma si vedeva. Subito a destra di dove ho toccato il piano, l'ho visto. Il mio amico era là, seduto su una specie di lastra, con le mani sulle ginocchia, la schiena poggiata alla parete. Aveva gli occhi aperti e guardava dritto avanti, come se volesse bucare la croda e vedere il cielo di fuori. La barba era lunga di mesi e lui pareva uno stecco tanto era magro e sfinito. Povero amico mio, chissà quanto tempo ci aveva messo a morire. Per vederlo un po' meglio ho dato fiamma all'accendino e l'ho portato davanti ai suoi occhi: adesso erano buoni e pacifici, non erano più quelle lame che ti foravano come quando era vivo. Adesso era in pace. L'ho abbracciato, il mio amico, facendo attenzione di non rovesciarlo in terra. Era freddo, ma asciutto e intero, secco come un pezzo di legno. Laggiù filano correnti d'aria leggera che asciuga la pelle secondo me, non sarebbe conservato così bene sennò. L'ho stretto ancora una volta e son tornato su e lì ho visto ancora la cerva. Allora ho cavato la cinghia dei pantaloni e ho fatto un fascio delle ossa, testa compresa, e le ho portate giù, vicino ai suoi piedi, perché mi pareva giusto che loro due stessero assieme. Poi son tornato su di nuovo e ho coperto l'apertura con un blocco. Credo che non andrò più in quella tana dove riposa il mio amico.

Dando il quaderno all'editore, una parte della promessa l'avevo mantenuta, ma la coscienza non era tranquilla. I quaderni che dovevano diventare libri erano due, non uno. Finché non sistemavo anche l'altro non ero in pace. Lui voleva che il mondo sapesse per filo e per segno la storia di quelle mummie chiuse nell'intercapedine. Per il resto, gli altri quaderni li ho arrostiti. Quelli sì che erano roba da far tremare i polsi. Li vendevo ed ero a posto. Ma io non sono un traditore come quello lì che non bruciò i fogli del suo amico. Gli aveva raccomandato di bruciarli. Non si fa così. Io sono giusto e leale, e ho bruciato. Così si fa.

Di tutta questa faccenda resterà nella mia anima la visione dell'amico nella foiba. E basta. Intanto pensavo: "Cosa faccio, cosa non faccio?". Alla fine ho dato all'editore anche la storia delle mummie. Potevo anche aspettare ma, come già detto, ho avuto un infarto quando avevo quarantanove anni. Adesso ne ho sessantasei e può anche darsi che mi torni. Sono solo, non ho amici. L'unico che avevo non c'è più, altri non ne esistono. Allora meglio non rischiare. Ho ceduto tutti e due i quaderni così, se mi capita qualcosa, la promessa che gli ho fatto non resta per aria. Con queste robe non si scherza. Adesso non ho più compagnia, sta per venire l'inverno e son rimasto solo. Almeno, quando c'era lui, anche se nascosto lassù, andavo a spiarlo, sapevo che era vivo, si muoveva, faceva qualcosa. Mi ha lasciato le chiavi della casa in paese, sono entrato una volta ma non entrerò più. Là dentro c'erano le sue robe, quelle che aveva lasciato lì. Tutto con la polvere sopra alta un dito. Anche i premi che teneva tanto erano lì, pieni di polvere che facevano ridere. Un uomo vale per quello che fa e subisce nella vita non per i premi che gli danno. Mi diceva che i premi non li vinci, te li danno. Te li danno quelli messi a decidere a chi dare i premi. Ho visto i suoi attrezzi da lavoro, sgorbie e scalpelli che non aveva portato lassù. Mi pareva di stare in mezzo a quei sogni che faceva e raccontava. Sgorbie e ragnatele, polvere. Niente luce, solo quella che entrava dalle finestre. La sua casa stava diventando come quelle che sognava, povero amico! Era tutto finito. In un angolo c'erano mucchi di corde e chiodi da roccia, anche loro coperti di polvere. Sul muro dello studio con un pennello aveva scritto una frase che mi aveva fatto pensare: "La forza per vivere te la danno gli altri. Gli altri possono lasciarti senza forza". Sotto c'era la sua firma.

Anche lui mi dava forza, adesso ne ho meno. Non so quanto vivrò e non m'interessa. Sono stato poco fortunato nella vita, ma non me la prendo. Aspetto che arrivi l'ora a testa alta, ho la coscienza in pace. Con lui ho i conti a posto, con altri no, ma con lui sì. Quando capiterà me ne andrò tranquillo. Son stufo anch'io. Aveva ragione quando diceva che a questo mondo c'è solo da patire. Spero che di là ci sia qualcosa, come mi hanno insegnato. Così incontrerò mia mamma e mio padre e tutti gli amici morti. E lui, che prenderò in disparte per dirgli finalmente quelle cose che non gli ho mai detto in vita. Perché anch'io faccio parte degli esseri umani, e gli esseri umani non si dicono mai tutto, rovinando, come predicava lui, l'armonia del mondo.

Finisco questo libro iniziato molti mesi fa, esattamente il 12 agosto 2010. Non è stato semplice andare avanti perché non è affatto un libro come quelli che lo hanno preceduto. Se mi dovessi chiedere se sono soddisfatto risponderei: "No". Come, del resto, per tutti gli altri. Solo gli ingenui o gli sciocchi sono contenti di quello che fanno. Ma non è vero nemmeno questo. Io sono ingenuo e sciocco ma non sono contento mai di quello che faccio. Di nulla sono contento, forse perché realizzo che sono tutte cagate e fallimenti. Però scrivere mi aiuta a campare e questo è un buon motivo per fare una cosa. Un po' di parole, qualche scultura, una bevuta, qualche camminata, una scalata qua e là, intanto tiro avanti in attesa di infilarmi anch'io nella foiba finale come il protagonista di questo libro, visto che nella foiba (per non dire fogna) della vita ci sono da sessantun anni. E ora avanti con altro, come diceva Isak Dinesen, senza speranza e senza disperazione.

m.c.

Erto, 2 novembre, giorno dei morti 2011